いい女.diary 2024

Discover

## 11 November 2023

| M | T | W | T | F | S | S |
|---|---|---|---|---|---|---|
|  |  | 1 | 2 | 3 | 4 | 5 |
| 6 | 7 | 8 | 9 | 10 | 11 | 12 |
| 13 | 14 | 15 | 16 | 17 | 18 | 19 |
| 20 | 21 | 22 | 23 | 24 | 25 | 26 |
| 27 | 28 | 29 | 30 |  |  |  |

## 12 December 2023

| M | T | W | T | F | S | S |
|---|---|---|---|---|---|---|
|  |  |  |  | 1 | 2 | 3 |
| 4 | 5 | 6 | 7 | 8 | 9 | 10 |
| 11 | 12 | 13 | 14 | 15 | 16 | 17 |
| 18 | 19 | 20 | 21 | 22 | 23 | 24 |
| 25 | 26 | 27 | 28 | 29 | 30 | 31 |

## 1 January 2024

| M | T | W | T | F | S | S |
|---|---|---|---|---|---|---|
| 1 | 2 | 3 | 4 | 5 | 6 | 7 |
| 8 | 9 | 10 | 11 | 12 | 13 | 14 |
| 15 | 16 | 17 | 18 | 19 | 20 | 21 |
| 22 | 23 | 24 | 25 | 26 | 27 | 28 |
| 29 | 30 | 31 |  |  |  |  |

## 2 February 2024

| M | T | W | T | F | S | S |
|---|---|---|---|---|---|---|
|  |  |  | 1 | 2 | 3 | 4 |
| 5 | 6 | 7 | 8 | 9 | 10 | 11 |
| 12 | 13 | 14 | 15 | 16 | 17 | 18 |
| 19 | 20 | 21 | 22 | 23 | 24 | 25 |
| 26 | 27 | 28 | 29 |  |  |  |

## 3 March 2024

| M | T | W | T | F | S | S |
|---|---|---|---|---|---|---|
|  |  |  |  | 1 | 2 | 3 |
| 4 | 5 | 6 | 7 | 8 | 9 | 10 |
| 11 | 12 | 13 | 14 | 15 | 16 | 17 |
| 18 | 19 | 20 | 21 | 22 | 23 | 24 |
| 25 | 26 | 27 | 28 | 29 | 30 | 31 |

## 4 April 2024

| M | T | W | T | F | S | S |
|---|---|---|---|---|---|---|
| 1 | 2 | 3 | 4 | 5 | 6 | 7 |
| 8 | 9 | 10 | 11 | 12 | 13 | 14 |
| 15 | 16 | 17 | 18 | 19 | 20 | 21 |
| 22 | 23 | 24 | 25 | 26 | 27 | 28 |
| 29 | 30 |  |  |  |  |  |

## 5 May 2024

| M | T | W | T | F | S | S |
|---|---|---|---|---|---|---|
|  |  | 1 | 2 | 3 | 4 | 5 |
| 6 | 7 | 8 | 9 | 10 | 11 | 12 |
| 13 | 14 | 15 | 16 | 17 | 18 | 19 |
| 20 | 21 | 22 | 23 | 24 | 25 | 26 |
| 27 | 28 | 29 | 30 | 31 |  |  |

## 6 June 2024

| M | T | W | T | F | S | S |
|---|---|---|---|---|---|---|
|  |  |  |  |  | 1 | 2 |
| 3 | 4 | 5 | 6 | 7 | 8 | 9 |
| 10 | 11 | 12 | 13 | 14 | 15 | 16 |
| 17 | 18 | 19 | 20 | 21 | 22 | 23 |
| 24 | 25 | 26 | 27 | 28 | 29 | 30 |

※本手帳は2023年6月に製作しました。掲載の祝日は「国民の祝日に関する法律」により変更される場合があることをご了承ください。

## 7 July — 2024

| M | T | W | T | F | S | S |
|---|---|---|---|---|---|---|
| 1 | 2 | 3 | 4 | 5 | 6 | 7 |
| 8 | 9 | 10 | 11 | 12 | 13 | 14 |
| 15 | 16 | 17 | 18 | 19 | 20 | 21 |
| 22 | 23 | 24 | 25 | 26 | 27 | 28 |
| 29 | 30 | 31 | | | | |

## 8 August — 2024

| M | T | W | T | F | S | S |
|---|---|---|---|---|---|---|
| | | | 1 | 2 | 3 | 4 |
| 5 | 6 | 7 | 8 | 9 | 10 | 11 |
| 12 | 13 | 14 | 15 | 16 | 17 | 18 |
| 19 | 20 | 21 | 22 | 23 | 24 | 25 |
| 26 | 27 | 28 | 29 | 30 | 31 | |

## 9 September — 2024

| M | T | W | T | F | S | S |
|---|---|---|---|---|---|---|
| | | | | | | 1 |
| 2 | 3 | 4 | 5 | 6 | 7 | 8 |
| 9 | 10 | 11 | 12 | 13 | 14 | 15 |
| 16 | 17 | 18 | 19 | 20 | 21 | 22 |
| 23 | 24 | 25 | 26 | 27 | 28 | 29 |
| 30 | | | | | | |

## 10 October — 2024

| M | T | W | T | F | S | S |
|---|---|---|---|---|---|---|
| | 1 | 2 | 3 | 4 | 5 | 6 |
| 7 | 8 | 9 | 10 | 11 | 12 | 13 |
| 14 | 15 | 16 | 17 | 18 | 19 | 20 |
| 21 | 22 | 23 | 24 | 25 | 26 | 27 |
| 28 | 29 | 30 | 31 | | | |

## 11 November — 2024

| M | T | W | T | F | S | S |
|---|---|---|---|---|---|---|
| | | | | 1 | 2 | 3 |
| 4 | 5 | 6 | 7 | 8 | 9 | 10 |
| 11 | 12 | 13 | 14 | 15 | 16 | 17 |
| 18 | 19 | 20 | 21 | 22 | 23 | 24 |
| 25 | 26 | 27 | 28 | 29 | 30 | |

## 12 December — 2024

| M | T | W | T | F | S | S |
|---|---|---|---|---|---|---|
| | | | | | | 1 |
| 2 | 3 | 4 | 5 | 6 | 7 | 8 |
| 9 | 10 | 11 | 12 | 13 | 14 | 15 |
| 16 | 17 | 18 | 19 | 20 | 21 | 22 |
| 23 | 24 | 25 | 26 | 27 | 28 | 29 |
| 30 | 31 | | | | | |

## 1 January — 2025

| M | T | W | T | F | S | S |
|---|---|---|---|---|---|---|
| | | 1 | 2 | 3 | 4 | 5 |
| 6 | 7 | 8 | 9 | 10 | 11 | 12 |
| 13 | 14 | 15 | 16 | 17 | 18 | 19 |
| 20 | 21 | 22 | 23 | 24 | 25 | 26 |
| 27 | 28 | 29 | 30 | 31 | | |

## 2 February — 2025

| M | T | W | T | F | S | S |
|---|---|---|---|---|---|---|
| | | | | | 1 | 2 |
| 3 | 4 | 5 | 6 | 7 | 8 | 9 |
| 10 | 11 | 12 | 13 | 14 | 15 | 16 |
| 17 | 18 | 19 | 20 | 21 | 22 | 23 |
| 24 | 25 | 26 | 27 | 28 | | |

# はじめに

　こんにちは、いい女.botです。『いい女.diary』を手に取っていただきありがとうございます。ぜひこの手帳をいつもそばにおいて、素敵で心地よい毎日を過ごしていきましょう。

## 自分を磨いて自分を好きになる

　人生には調子がいいときもあれば、なんだか落ち込むときもあります。どんな波がくるのかは人それぞれだし、コントロールすることもできません。でも、うまくいかないことがあったとき、ブレない自分でいられれば、きっと乗り越えることができます。ブレない自分でいるとは、「自分の好きな自分」でいること。自分を素敵だと思えていることが、心のしなやかさにつながるのです。

　みなさんは、何をしているときの自分が好きですか？　私はやっぱり、自分磨きをしている自分が一番好きです。だから仕事や遊びだけで予定を埋め尽くさずに、習いごとやジム、読書などの時間をなるべく予定に組み込んでいます。

　みなさんも、この手帳を活用して自分磨きをしてみませんか。今年のコラムとワークは「アクティブな自分を引き出す」がテーマ。この手帳が、みなさんにとって新しい自分に出会うきっかけになれたら嬉しいです。

## 書くことは最高のデトックス

　私は中学生のころから、日記を書いています。寝る前のリラックスタイムに机の上にノートを広げ、お気に入りのペンを持ち、その日あった幸せなことや、感じた気持ちを書き出します。それが私にとって大切なデトックスの時間であり、日々の幸せに気づくための習慣になっているのです。

　そんな自分の体験から、この手帳には毎月のやりたいことリストや、毎週のよかったことなど、ポジティブなことを書き込める欄をたくさん設けています。ぜひゆっくり自分の気持ちに向き合える時間をとって、書きながら癒やされてくださいね。そして書き込むだけでなく、あとから見返してみてください。そのたびに、また幸せを感じることができるはずです。

　書き出すことで心を整えて、日々の幸せをきちんと見つめることが、心がしなやかな「いい女」でいられる秘訣です。この手帳にはどんどん楽しい予定を書き込み、嬉しかったことを振り返り、幸せな日々をしっかり味わいましょう。

## How to use this diary?

# いい女.diaryの使い方

各月に書き下ろしコラムを掲載！
13のレッスンを通して、「いい女」になりましょう！

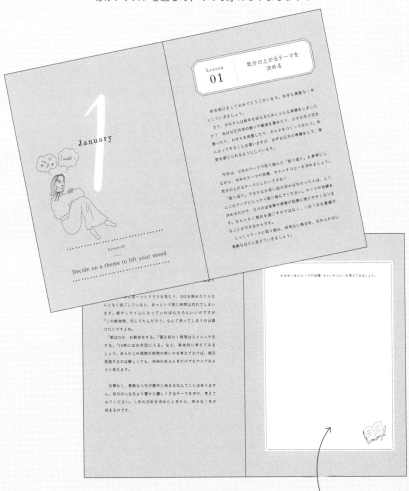

毎月のコラムに合わせたワークで、自分を磨きましょう

# ♡ 毎月のテーマ ♡

2023年12月
幸せを振り返る

2024年1月
気分の上がるテーマを決める

2月
心地よい寝室づくり

3月
挨拶に思いを込めて

4月
植物のエネルギーから学ぶ

5月
カーネーションと感謝の気持ち

6月
トレーニングで新しい自分に出会う

7月
日本の夏を堪能する

8月
旅に出ると趣味が生まれる

9月
おしゃべりを大切に

10月
おうちに人を招く

11月
恋のキューピッド

12月
バカラのグラスでクリスマスディナーを

How to use monthly calendar?

# マンスリーカレンダーの使い方

スペースはたっぷりあるので、仕事や学業のことから、趣味や習い事など
プライベートの予定まで、なんでも書き込んでください。

この月にやってみたいことを書く

## 2 2024 February

| MONDAY | TUESDAY | WEDNESDAY | THURSDAY |
|---|---|---|---|
|  |  |  | 1<br>×○クッキング |
| 5 | 6 | 7 | 8 |
|  | ←―― 会社の研修 ――→ |  |  |
| 12 振替休日 | 13 | 14 ♡<br>バレンタイン<br>♡    ♡ | 15<br>×○クッキング |
| 19 | 20<br>XXちゃんBD♪ | 21 | 22<br><br>サークル飲み会？ |
| 26 | 27 | 28 | 29 |

WISH LIST
• バレンタイン♡今年こそ手づくりチョコ？
• 女子旅！温泉行きたい
• 美容院＆ネイル

| FRIDAY | SATURDAY | SUNDAY |
|---|---|---|
| 2 10：00〜<br>全社会議 | 3<br> | 4<br>×○ちゃんBD♪ |
| 9<br><br>会社飲み会 | 10 | 11 建国記念の日<br>美容院＆ネイル<br>13：00〜 |
| 16 | 17<br>女子旅<br>伊豆 | 18 |
| 23 天皇誕生日 | 24<br>△○ちゃん達とランチ | 25 |

土日はやや広めのスペースに

# ウィークリーカレンダーの使い方

AM（午前）とPM（午後）にざっくり分かれているので、
仕事の予定や、やりたいと思っていることを書き出してみましょう。
Diaryのメモ欄の使い方は自由です。日記を書いたり、その週の
よかったこと、悪かったことなどを振り返ったりしてみましょう。

この週にやるべきことを書く

今週の振り返り欄

いい女.botの言葉を毎週ひとつご紹介

# 12

## December

* * * * * * * * * * * * * * * * * * * * * * * * * * *

Lesson.00

—

Think back on happy moments

* * * * * * * * * * * * * * * * * * * * * * * * * * *

## Lesson 00

### 幸せを振り返る

『いい女.diary』とともに過ごす毎日の始まりです。1年間よろしくお願いします♡

　みなさんにとって、今年はどんな年でしたか。今月はこの1年間、どんな出来事があったのか、どこで誰と過ごしたのか、何を感じていたのかをゆっくり振り返りましょう。

　このとき、スマホの写真フォルダや自分のSNSを見て思い出そうとするかもしれませんが、まずは自分の記憶を遡ることから始めてみましょう。私自身も、よく写真フォルダやInstagramなどのSNSを見返して、楽しい思い出に癒やされています。でも、スマホやSNSに残る写真は、記憶ではなく記録です。スマホに頼らず自分の記憶にしっかりと残っているものこそ、あなたにとってとても重要な出来事のはず。まずはそういった大事なことを書き出して、振り返っていくのがおすすめです。とくに、「幸せなこと」を思い出すようにしてください。そうすれば、もう一度その満ち足りた気分を味わうことができます。もちろん反省も大切ですが、幸せを振り返ろうという意識が、幸せへの感度を高め、自然と次の幸せを呼び込むのです。

自分の「時間の使い方」の振り返りもおすすめ。平日と休日の平均的なスケジュールを書き出したり、今年の手帳を見返したり、スマホのスクリーン視聴履歴を確認したりするといいでしょう。外食の時間が多い、寝る時間が遅い、SNSや動画を見る時間が長い……今までは気づかなかった、時間の使い方が見えてくるかもしれません。日常の何気ない行動の積み重ねが、人生を構成する要素になっていくもの。素敵な毎日を過ごすために、今の自分の生活を振り返りましょう。

　忙しい日々を過ごしていると、じっくり振り返る時間はなかなかとれませんよね。でも目の前のことばかり考えていると、心の余裕がなくなってしまいがち。だからこそ、振り返りを意識的に予定に組み込みましょう。お部屋でゆったりとした曲を流して、ホットラテを飲みながら、お気に入りのペンで手帳に言葉を書き込む。なんだか素敵で贅沢な時間ですね。
　来年をさらに幸せいっぱいの年にするために、じっくり思い出に向き合ってみてください。

　幸せをたくさん覚えている人は、一番幸せな人です。この手帳では、よかったことを毎週振り返れるようにしているので、ぜひ活用してくださいね。充実した1年にしていきましょう。

＊今年1年の出来事を振り返ってみましょう。
とくに、幸せだったことを思い出してみてください。

2023
# December

| MONDAY | TUESDAY | WEDNESDAY | THURSDAY |
|--------|---------|-----------|----------|
|        |         |           |          |
| 4      | 5       | 6         | 7        |
| 11     | 12      | 13        | 14       |
| 18     | 19      | 20        | 21       |
| 25     | 26      | 27        | 28       |

* 
* 
* 

| FRIDAY | SATURDAY | SUNDAY |
|--------|----------|--------|
| 1 | 2 | 3 |
| 8 | 9 | 10 |
| 15 | 16 | 17 |
| 22 | 23 | 24 |
| 29 | 30 | 31 |

*12*

TO DO LIST

* 
* 
* 

| 11/27 (月) | AM |
| PM |

| 11/28 (火) | AM |
| PM |

| 11/29 (水) | AM |
| PM |

| 11/30 (木) | AM |
| PM |

| 1 (金) | AM |
| PM |

| 2 (土) | AM |
| PM |

| 3 (日) | AM |
| PM |

# Diary

GROW THROUGH

今週、よかったこと

* 

* 

* 

DREAM

This Week's Message

潔い女になる。
自分を変えたいなら、いまこの瞬間から変化を起こそう。

## 12

**4**
(月)

AM

PM

---

**5**
(火)

AM

PM

---

**6**
(水)

AM

PM

---

**7**
(木)

AM

PM

---

**8**
(金)

AM

PM

---

**9**
(土)

AM

PM

---

**10**
(日)

AM

PM

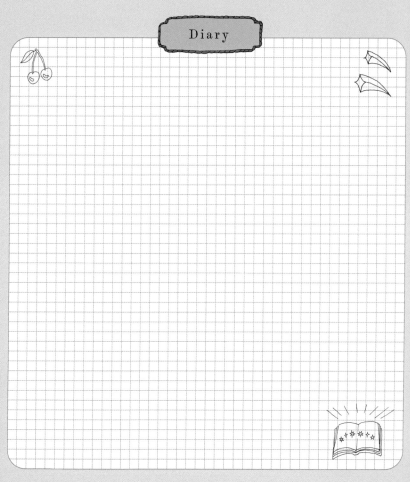

## Diary

今週、よかったこと

* _____

* _____

* _____

*This Week's Message*

素直に「ごめん」と言う勇気を持とう。
そのひとことが言えれば、たくさんの時間を無駄にしない。

**12**

TO DO LIST
* 
* 
* 

**11**
(月)

AM

PM

**12**
(火)

AM

PM

**13**
(水)

AM

PM

**14**
(木)

AM

PM

**15**
(金)

AM

PM

**16**
(土)

AM

PM

**17**
(日)

AM

PM

HUG ME
KISS ME

Diary

今週、よかったこと

* 
* 
* 

This Week's Message

人生は、進めば進むほど複雑になるもの。
いろいろなことで悩むけれど、きっと答えはとってもシンプルなはず。

12

*TO DO LIST*

* 
* 
* 

**18**
(月)

AM

PM

**19**
(火)

AM

PM

**20**
(水)

AM

PM

**21**
(木)

AM

PM

**22**
(金)

AM

PM

**23**
(土)

AM

PM

**24**
(日)

AM

PM

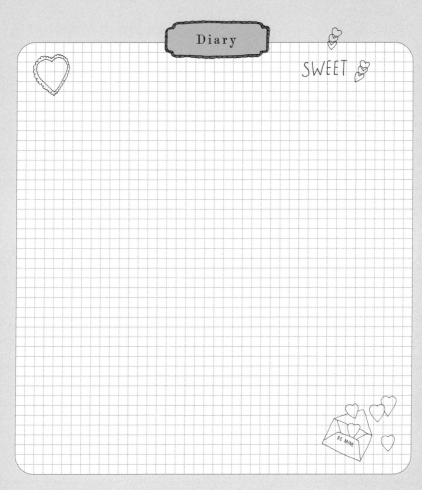

## Diary

SWEET

今週、よかったこと

\* 
\* 
\*

*This Week's Message*

してあげたことより、してもらったことを覚えておく。

*12*

*TO DO LIST*

* 
* 
* 

**25**
(月)

AM

PM

**26**
(火)

AM

PM

**27**
(水)

AM

PM

**28**
(木)

AM

PM

**29**
(金)

AM

PM

**30**
(土)

AM

PM

**31**
(日)

AM

PM

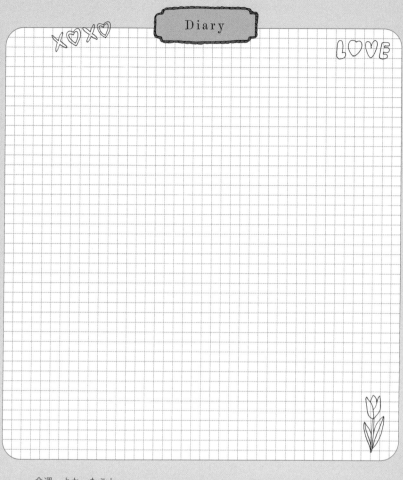

# Diary

XOXO ♡

LOVE

今週、よかったこと

* ........................
* ........................
* ........................

# 1

## January

I wish...

* * * * * * * * * * * * * * * * * * * * * * * * * * *

Lesson.01

———

## Decide on a theme to lift your mood

* * * * * * * * * * * * * * * * * * * * * * * * * * *

## Lesson 01 ｜ 気分の上がるテーマを決める

　新年明けましておめでとうございます。本年も素敵な1年にしていきましょう。

　さて、みなさんは新年を迎えるためにどんな準備をしましたか？　私はお正月用の飾りや雑貨を集めたり、小さな生け花を飾ったり、おせちを用意したり、カルタをつくってみたり。年によってすることは違いますが、必ずお正月の準備をして、季節を感じられるようにしています。


　今月は、12月のワークで取り組んだ「振り返り」も参考にしながら、今年のテーマや目標、キャッチコピーを決めましょう。気分の上がるテーマにしたいですね！

　「振り返り」でなかなか思い出が浮かばなかった人は、とくにこのワークにしっかり取り組んでください。テーマや目標を決めるだけで、日々の出来事や感情が記憶に残りやすくなります。なんとなく毎日を過ごすのではなく、1日1日を意識することができるからです。

　じっくりワークに取り組み、何気ない毎日を、忘れられない素敵な日々に変えていきましょう。

1年間のテーマを決めたら、1日の時間配分の目標を立ててみるのもいいでしょう。先月のコラムで1日の使い方の振り返りをおすすめしましたが、うまく使えていない時間はありませんでしたか？

　空いた時間にぼーっとドラマを見たり、SNSを眺めたりとなんとなく過ごしていると、あっという間に時間は流れてしまいます。癒やしタイムになっていればもちろんいいのですが、「この数時間、何してたんだろう」なんて思ってしまうのは避けたいですよね。

　「朝は15分、お散歩をする」「寝る前の1時間はストレッチをする」「23時にはお布団に入る」など、具体的に考えてみましょう。あらかじめ理想の時間の使い方を考えておけば、毎日実践するのは難しくても、余裕のあるときだけでもやってみようと思えます。


　目標なく、素敵な人生が勝手に始まるなんてことはありません。自分の人生をより豊かに麗しくするテーマをぜひ、考えてみてください。1年の方針を決めたときから、幸せな1年が始まるのです。

＊今年１年のテーマや目標、キャッチコピーを考えてみましょう。

2024
# January

| MONDAY | TUESDAY | WEDNESDAY | THURSDAY |
|--------|---------|-----------|----------|
| 1 元日 | 2 | 3 | 4 |
| 8 成人の日 | 9 | 10 | 11 |
| 15 | 16 | 17 | 18 |
| 22 | 23 | 24 | 25 |
| 29 | 30 | 31 | |

* 
* 
* 

| FRIDAY | SATURDAY | SUNDAY |
|--------|----------|--------|
| 5 | 6 | 7 |
| 12 | 13 | 14 |
| 19 | 20 | 21 |
| 26 | 27 | 28 |
|  |  |  |

## TO DO LIST

* 
* 
* 

| 1 (月) 元日 | AM |
| | PM |

| 2 (火) | AM |
| | PM |

| 3 (水) | AM |
| | PM |

| 4 (木) | AM |
| | PM |

| 5 (金) | AM |
| | PM |

| 6 (土) | AM |
| | PM |

| 7 (日) | AM |
| | PM |

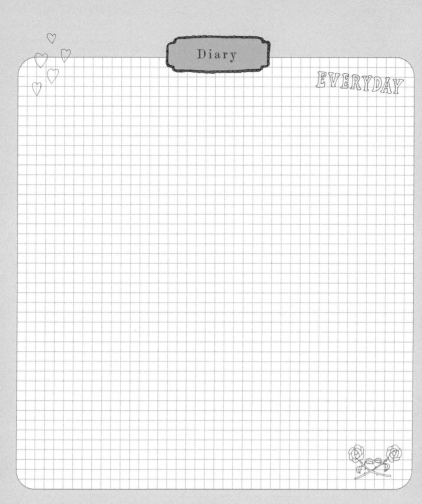

Diary

EVERYDAY

今週、よかったこと

* 
* 
* 

美しさはいつも丁寧な中から生まれる。
美しい1年のために、丁寧な計画から。

1

TO DO LIST

* 
* 
* 

| 8 (月) 成人の日 | AM |
| | PM |

| 9 (火) | AM |
| | PM |

| 10 (水) | AM |
| | PM |

| 11 (木) | AM |
| | PM |

| 12 (金) | AM |
| | PM |

| 13 (土) | AM |
| | PM |

| 14 (日) | AM |
| | PM |

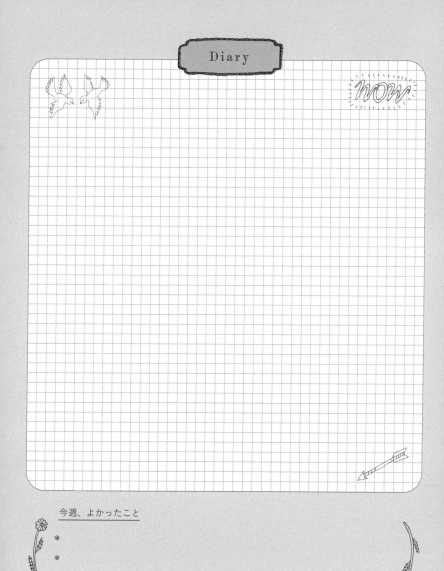

# Diary

今週、よかったこと

* 
* 
*

**1**

TO DO LIST

* 
* 
* 

---

**15**
(月)

AM

PM

---

**16**
(火)

AM

PM

---

**17**
(水)

AM

PM

---

**18**
(木)

AM

PM

---

**19**
(金)

AM

PM

---

**20**
(土)

AM

PM

---

**21**
(日)

AM

PM

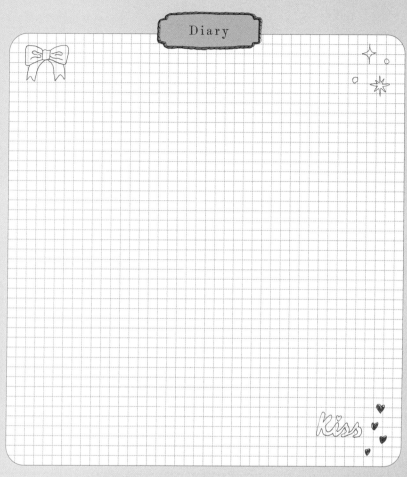

## Diary

今週、よかったこと

* 
* 
* 

*This Week's Message*

決意は、文字にして残すといい。そして何度も見返すこと。

**1**

TO DO LIST

* 
* 
* 

| **22**<br>（月） | AM |
| | PM |

| **23**<br>（火） | AM |
| | PM |

| **24**<br>（水） | AM |
| | PM |

| **25**<br>（木） | AM |
| | PM |

| **26**<br>（金） | AM |
| | PM |

| **27**<br>（土） | AM |
| | PM |

| **28**<br>（日） | AM |
| | PM |

以降の日付は、次月に続きます。

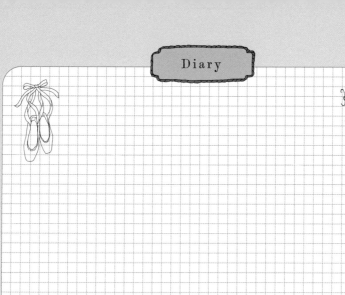

## Diary

*Kina*
*Kina*

今週、よかったこと

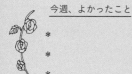

\* 

\* 

\*

February

2

## Lesson 02

### 心地よい
### 寝室づくり

　本格的な寒さが到来しているこの時期、体が冷えきってしまい、夜になかなか寝つけないことはありませんか。眠れない、眠れないと焦ってしまうと、つらいですよね。睡眠は、幸せな毎日を過ごすためにとても大事なもの。心地よく眠るための工夫をご紹介します。

　まず、寝室の環境を見直すこと。人に見せることのない部屋だからと、片付けをサボっていませんか。そんな人は、素敵な寝室づくりから始めてみましょう。

　私は、自分の好きなものを寝室に集めるようにしています。例えば、プレゼントで頂いた良い香りの可愛いキャンドル。おしゃれな洋書の隣に飾っています。使いきるのがもったいなくて、少しずつご褒美として灯をともしているくらい、お気に入りです。他には、鉢植えの可愛い植物たちをベッドの近くにディスプレイ。冬は植物もお休み期間で、あまり元気な見た目ではないのですが、小さな苗から育てた植物たちには愛情が生まれるものです。

　植物たちに朝日が当たるように、カーテンを少し開けて寝る

のが私の日課です。光が差し込んでくるとともに目が覚めて、うとうとしながらゆっくり起きる朝がとても大好き。本当はカーテンを閉めて真っ暗にしたほうが夜も深く眠れるのですが、植物たちと一緒に朝を迎えている気持ちが味わえること、心地よく起きられることを大事にしています。

　寝室に愛でるものがあるだけで、心が癒やされます。寝室にあまり気をつかっていなかった人は、自分だけの大好きな空間としてつくりあげてみてはいかがでしょうか。


　また、眠れないときほど頭の中でぐるぐると同じことを考えてしまい、余計に目が冴えてしまいがち。考えごとをしないように、ラジオや音楽を聴くのもおすすめです。私も入眠まで時間がかかるタイプなので、お布団に入りながらスマホアプリでラジオを聴いて、眠れない時間も楽しむようにしています。そうすると気づかないうちに眠っているものです。あとでラジオの内容を確認してみると「最初の17分しか話の内容を覚えていない」なんてこともあり、案外、早く眠りについているのだと安心できます。ぜひ試してみてください。

　それでもうまく寝つけないときは「眠れなくても身体が休まっているから大丈夫」と考えて、焦りすぎないようにしてくださいね。

　今月は、自分を上手に休ませる達人になってみましょう。

＊寝室に大好きなものを集めましょう。
どこに何を置きますか? 考えてみてください

＊寝る前に楽しみたい、あなたの心と身体を癒やす
アイテムを書き出してみましょう

2024
February

| MONDAY | TUESDAY | WEDNESDAY | THURSDAY |
|--------|---------|-----------|----------|
|  |  |  | 1 |
| 5 | 6 | 7 | 8 |
| 12 振替休日 | 13 | 14 | 15 |
| 19 | 20 | 21 | 22 |
| 26 | 27 | 28 | 29 |

| FRIDAY | SATURDAY | SUNDAY |
|--------|----------|--------|
| 2 | 3 | 4 |
| 9 | 10 | 11 建国記念の日 |
| 16 | 17 | 18 |
| 23 天皇誕生日 | 24 | 25 |
| | | |

## 2

TO DO LIST
* 
* 
* 

| 1/29 (月) | AM |
| | PM |

| 1/30 (火) | AM |
| | PM |

| 1/31 (水) | AM |
| | PM |

| 1 (木) | AM |
| | PM |

| 2 (金) | AM |
| | PM |

| 3 (土) | AM |
| | PM |

| 4 (日) | AM |
| | PM |

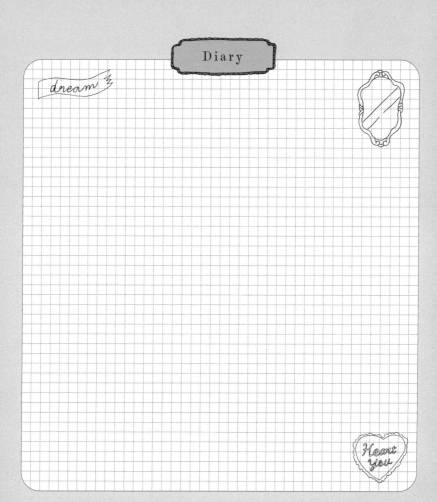

## Diary

*dream*

今週、よかったこと

* 
* 
* 

### This Week's Message

自分を上手にいたわることができれば、
心も身体もどんどん美しくなっていく。

2

TO DO LIST

* 
* 
* 

| 5 (月) | AM |
| | PM |

| 6 (火) | AM |
| | PM |

| 7 (水) | AM |
| | PM |

| 8 (木) | AM |
| | PM |

| 9 (金) | AM |
| | PM |

| 10 (土) | AM |
| | PM |

| 11 (日) 建国記念の日 | AM |
| | PM |

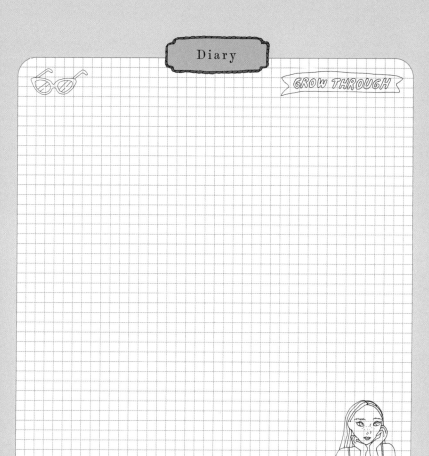

# Diary

 GROW THROUGH

今週、よかったこと

* 
* 
* 

DREAM

*This Week's Message*

執着してしまうものは上手くいかない。
執着しそうになったらブレーキをかける。バランスよく物事を見るために。

2

*TO DO LIST*

* 
* 
* 

---

**12**
(月)
振替休日

AM

PM

---

**13**
(火)

AM

PM

---

**14**
(水)

AM

PM

---

**15**
(木)

AM

PM

---

**16**
(金)

AM

PM

---

**17**
(土)

AM

PM

---

**18**
(日)

AM

PM

## Diary

今週、よかったこと
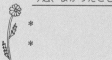

\*
\*
\*

CHALLENGE

## 2

TO DO LIST

* 
* 
* 

---

**19**
(月)

AM

PM

---

**20**
(火)

AM

PM

---

**21**
(水)

AM

PM

---

**22**
(木)

AM

PM

---

**23**
(金)
天皇誕生日

AM

PM

---

**24**
(土)

AM

PM

---

**25**
(日)

AM

PM

---

以降の日付は、次月に続きます。

HUG ME
KISS ME

今週、よかったこと

* 
* 
* 

### This Week's Message

美しい別れは、美しい再会を連れてきてくれる。
美しい別れは、美しい出会いをもたらしてくれる。

# March

**3**

* * * * * * * * * * * * * * * * * * * * * * * * * * * * * * * * * * * * *

Lesson.03

---

Put thought into your greetings

* * * * * * * * * * * * * * * * * * * * * * * * * * * * * * * * * * * * *

## 挨拶に思いを込めて

　先日、久しぶりに会ったアメリカ人のお友達がいました。彼女はいつも大きな笑顔で出迎えてくれるので、彼女のことを思い出すとき、必ずその笑顔が浮かびます。会った瞬間の表情は、その人の印象をつくるのですね。また、彼女と英語で会話をしていると、英語には英語の、日本語には日本語の美しさがあると感じます。例えば、「挨拶」にはそれぞれの文化の美しさの違いがよく表れています。

　"Good morning"と「おはようございます」、"Good night"と「おやすみなさい」。何気なく見比べてみても、違いはわからないかもしれません。実は、英語は「相手の幸せを願う言葉」が、日本語は「相手の心を労う言葉」が挨拶になっているのです。

　"Good morning" "Good night"は直訳すると「あなたの朝が良いものになりますように」「あなたにとってこの夜が良い夜となりますように」という意味。相手が幸せな時間を過ごせるように、祈る気持ちが込められているのです。

　日本語の「おはようございます」は、諸説ありますが、歌舞

伎の世界で使われていた「お早いお着きでございます」が、変化していったものと言われています。歌舞伎では、裏方はもちろんのこと、役者も準備のためにかなり早めに現場に入る必要があります。そこで、裏方たちが早く到着した役者に労いの言葉をかけたのです。あるいは、最後にやってきた座長に対して、下っ端の役者たちがかけた言葉という説もあります。いずれにしても、相手のことを労う気持ちがもとになっているのですね。「おやすみなさい」も、宿屋の人たちが疲れた宿泊客を労って「ゆっくりとお休みになってくださいね」と声をかけていたものが、変化していって「おやすみなさい」になったと言われています。相手の心を察して、その苦労を想像して、いたわる気持ちを言葉で伝える。それが日本の挨拶の根底にあります。日本文化の美しさが感じられますね。

　挨拶ひとつとっても、その語源を知ったり、意味について深く考えてみたりすると、あらためて素敵な言葉だと思えます。いつもなんとなく挨拶をしていた人は、「労い」の気持ちを意識しながら挨拶してみてください。きっと、さらにいい女に近づくことができるはず。もちろん、私のお友達のように、笑顔いっぱいでいることも忘れずに。

＊挨拶が素敵だな、と思う人は身近にいますか？
どんなところをまねしたいか、考えてみましょう

＊いつもお世話になっている人、
労いの気持ちを伝えたい人を書き出してみましょう

2024
# March

| MONDAY | TUESDAY | WEDNESDAY | THURSDAY |
|--------|---------|-----------|----------|
|  |  |  |  |
| 4 | 5 | 6 | 7 |
| 11 | 12 | 13 | 14 |
| 18 | 19 | 20 　春分の日 | 21 |
| 25 | 26 | 27 | 28 |

* 
* 
* 

| FRIDAY | SATURDAY | SUNDAY |
|--------|----------|--------|
| 1 | 2 | 3 |
| 8 | 9 | 10 |
| 15 | 16 | 17 |
| 22 | 23 | 24 |
| 29 | 30 | 31 |

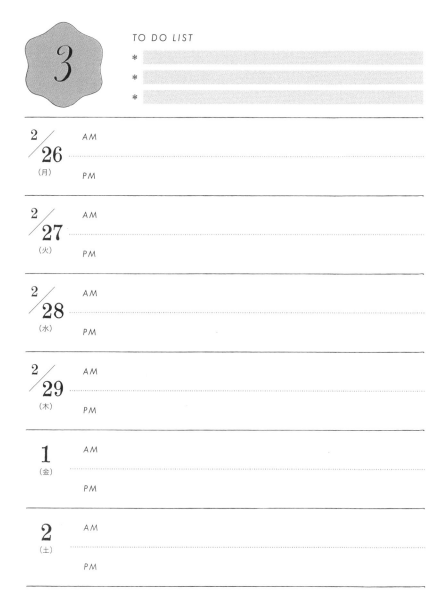

## 3

TO DO LIST

* 
* 
* 

| 2/26 (月) | AM | |
| | PM | |

| 2/27 (火) | AM | |
| | PM | |

| 2/28 (水) | AM | |
| | PM | |

| 2/29 (木) | AM | |
| | PM | |

| 1 (金) | AM | |
| | PM | |

| 2 (土) | AM | |
| | PM | |

| 3 (日) | AM | |
| | PM | |

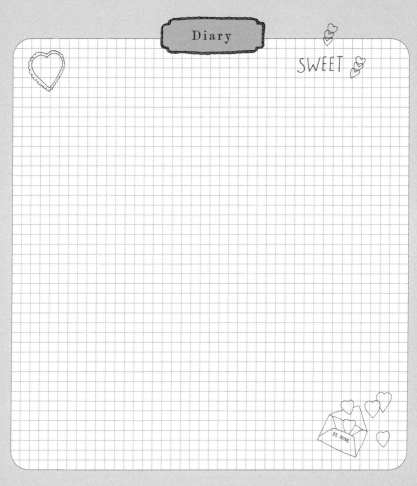

## Diary

SWEET

今週、よかったこと

\*

\*

\*

3

TO DO LIST

* 
* 
* 

4
(月)

AM

PM

5
(火)

AM

PM

6
(水)

AM

PM

7
(木)

AM

PM

8
(金)

AM

PM

9
(土)

AM

PM

10
(日)

AM

PM

## Diary

XOXO♡

L♡VE

今週、よかったこと

* 
* 
* 

*This Week's Message*

一生懸命がんばって結果が出なくても、その経験があなたを強くする。

Gissls

## 3

* 
* 
* 

**11**
(月)

AM

PM

**12**
(火)

AM

PM

**13**
(水)

AM

PM

**14**
(木)

AM

PM

**15**
(金)

AM

PM

**16**
(土)

AM

PM

**17**
(日)

AM

PM

## Diary

EVERYDAY

今週、よかったこと

\*
\*
\*

### This Week's Message

一緒にいて、優しい気持ちになれる人を選ぼう。
一緒にいて、がんばりたいと思える人を選ぼう。

*3*

TO DO LIST

* 
* 
* 

---

**18**
(月)

AM

PM

---

**19**
(火)

AM

PM

---

**20**
(水)
春分の日

AM

PM

---

**21**
(木)

AM

PM

---

**22**
(金)

AM

PM

---

**23**
(土)

AM

PM

---

**24**
(日)

AM

PM

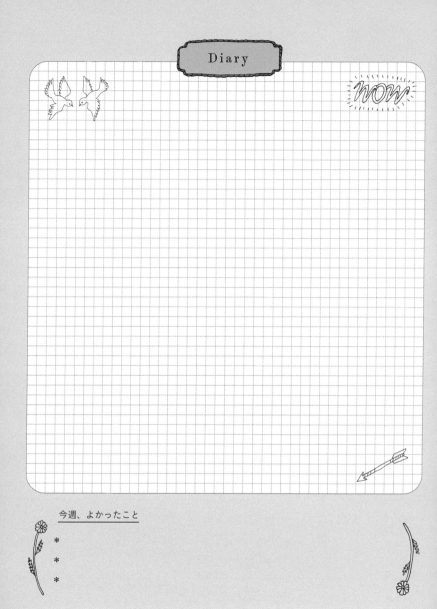

## Diary

今週、よかったこと

* *
* *
* *

### This Week's Message

本当に大切なものを手放したとき、本当に大切なものが入ってくる。

# 3

TO DO LIST

* 
* 
* 

---

## 25
(月)

AM

PM

---

## 26
(火)

AM

PM

---

## 27
(水)

AM

PM

---

## 28
(木)

AM

PM

---

## 29
(金)

AM

PM

---

## 30
(土)

AM

PM

---

## 31
(日)

AM

PM

## Diary

Kiss

今週、よかったこと

* 
* 
* 

*This Week's Message*

信頼とはガラスのようなもので、一度壊れたら二度と元には戻らない。
だから、大切な人を裏切らないこと。大切な人を大切に。

# 4

## April

* * * * * * * * * * * * * * * * * * * * * * * * * * * * * * * *

Lesson.04

—

Learn from the energy of plants

* * * * * * * * * * * * * * * * * * * * * * * * * * * * * * * *

## 植物のエネルギーから
## 学ぶ

　新しいことが始まる時期ですね。慌ただしい日々にのまれてはいませんでしょうか。気温の変化が激しい月でもあるので、体調には十分気をつけましょう。

　私は4月5日が誕生日で、幼いとき祖父に「お誕生日のころに桜が咲くんだよ」と教えてもらいました。最近だと桜の開花はもう少し早まることが多いですが、桜が咲くといつも祖父を思い出します。

　草木が芽吹き、お花たちが美しく咲き誇るこの季節。自分で植物を育ててみると、生き物のエネルギーに感動しますよ。

　私はバラの苗を頂いたことをきっかけに、自宅でバラを育てています。お花や植物はもともと好きなのですが、実は自宅で鉢植えの植物を育てるのは初めて。虫が苦手で、鉢植えの植物は遠ざけていたのです。うまく育てられるか心配で、バラの勉強会にも参加しました。そこで学んだことが、とても印象に残っています。

　光や水をたっぷり与えるだけでは、バラの能力を最大限に引

き出すことはできません。バラのお花をより大きく美しく、た くさん咲かせるためには、お花が咲ききる前に切って落とさな いといけないのだそう。バラ全体のエネルギーを、うまく調整 する必要があるからです。お花が咲くと、植物の栄養はすべて お花に集中します。お花が咲いたあとにはタネができるわけで、 人間でいえば出産と同じ。とても大きなエネルギーが必要なの ですね。そのため、お花をずっとつけていると、枝に栄養がい かずに全体が弱ってしまいます。完全に咲ききる前にお花を落 とすことで、そのぶん枝に栄養がいきわたり、次のお花をつけ るための土台づくりができるのです。

いま咲いているお花でエネルギーを使いきらずに、長い目で 見て、次に出会えるお花がより綺麗になるように育てる。なん だかバラだけではなくて、人生でも大切な考え方だなぁと思い ました。


小さな鉢植えの植物でも、その植物のことを最大限知ろうと し、愛情を持って育てれば、いろいろなことを学べます。これ は、どんな生き物にも言えることでしょう。

かつて、バラの切り花を眺めてうっとり楽しむだけだった私 ですが、バラを自分で育て、生態を学ぶことで植物のエネル ギーを感じることができました。思いがけず人生のヒントも得 られて、とてもいい経験になっています。みなさんも、機会が あれば植物を育ててみてください。

＊バラになぞらえて、あなたの心のエネルギー配分を考えましょう。
100％のうち、いまは何がどのくらいの割合を占めているか。
どんな割合が理想か。感覚的なものでOK！

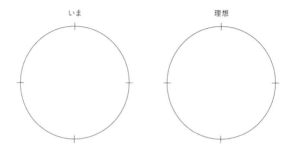

いま　　　　　　　　　　　　理想

＊理想の「お花」を咲かせるために、何を手放して、
何を大切にすればいいかを具体的に書き出してみましょう

2024
April

| MONDAY | TUESDAY | WEDNESDAY | THURSDAY |
|---|---|---|---|
| 1 | 2 | 3 | 4 |
| 8 | 9 | 10 | 11 |
| 15 | 16 | 17 | 18 |
| 22 | 23 | 24 | 25 |
| 29　昭和の日 | 30 | | |

*
*
*

| FRIDAY | SATURDAY | SUNDAY |
|--------|----------|--------|
| 5 | 6 | 7 |
| 12 | 13 | 14 |
| 19 | 20 | 21 |
| 26 | 27 | 28 |
|  |  |  |

4

TO DO LIST

* 
* 
* 

| 1 (月) | AM |
| | PM |

| 2 (火) | AM |
| | PM |

| 3 (水) | AM |
| | PM |

| 4 (木) | AM |
| | PM |

| 5 (金) | AM |
| | PM |

| 6 (土) | AM |
| | PM |

| 7 (日) | AM |
| | PM |

# Diary

今週、よかったこと

*

*

*

# 4

**8**
(月)

AM

PM

**9**
(火)

AM

PM

**10**
(水)

AM

PM

**11**
(木)

AM

PM

**12**
(金)

AM

PM

**13**
(土)

AM

PM

**14**
(日)

AM

PM

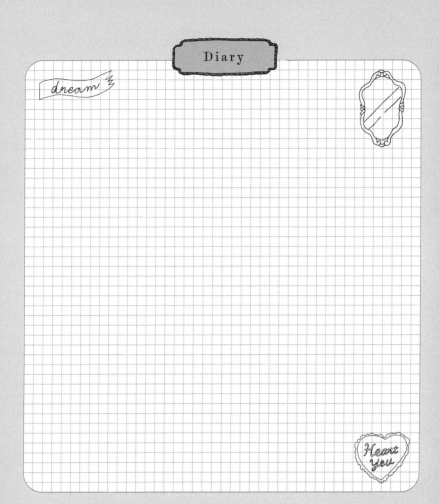

## Diary

*dream*

### 今週、よかったこと

* *
* *
* *

---

*This Week's Message*

季節は常に折り重なって、ひと時も空白はなく、常に新しい花が咲いていく。
じっくり丁寧に生活することで、季節を感じ心が豊かになる。

4

TO DO LIST

* 
* 
* 

**15**
(月)

AM

PM

**16**
(火)

AM

PM

**17**
(水)

AM

PM

**18**
(木)

AM

PM

**19**
(金)

AM

PM

**20**
(土)

AM

PM

**21**
(日)

AM

PM

## Diary

GROW THROUGH

今週、よかったこと

* \
* \
*

### This Week's Message

思い返す時間をとること。幸せな気持ちを思い出して、二度楽しむこと。
いつでも自分で幸せをコントロールすること。

DREAM

4

| 22 (月) | AM |
| | PM |

| 23 (火) | AM |
| | PM |

| 24 (水) | AM |
| | PM |

| 25 (木) | AM |
| | PM |

| 26 (金) | AM |
| | PM |

| 27 (土) | AM |
| | PM |

| 28 (日) | AM |
| | PM |

以降の日付は、次月に続きます。

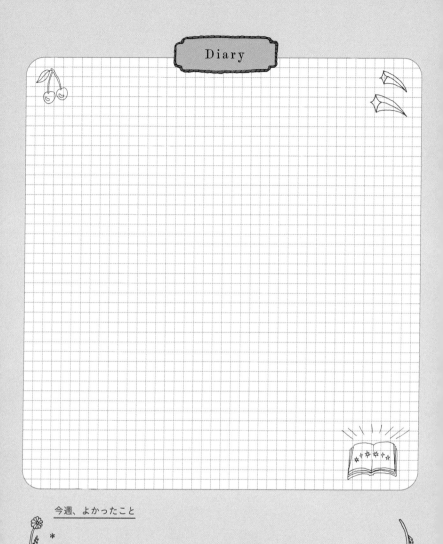

## Diary

今週、よかったこと

* 
* 
* 

CHALLENGE

# 5

**May**

\* \*\* \*\* \*\* \*\* \*\* \*\* \*\* \*\* \*\* \*\*\*

Lesson.05

—

Carnations and gratitude

\* \*\* \*\* \*\* \*\* \*\* \*\* \*\* \*\* \*\* \*\*\*

# カーネーションと
# 感謝の気持ち

　過ごしやすい季節になってきましたね。連休を使ってプチ旅行をしたり、ビアガーデンやバーベキューでお友達とわいわいしたり、カフェテラスで女子会をしたりと楽しい予定がいっぱいあるのではないでしょうか。

　心も身体も活発になるころだからか、私はいつも、この時期に新しいことにチャレンジしたくなります。最近は電子ピアノを購入して、気分転換に弾くのが楽しいです。きっかけは、NetflixやSNSの動画をぼんやりと見て、時間を浪費してしまっている自分に気づいたこと。ただ画面を眺めているのとは違い、ピアノは自分の体を動かすので、取り組んでいる実感を得られます。弾けるようになれば、自分のスキルアップにもなります。みなさんもぜひ、チャレンジしてみたいことを考えてみてくださいね。

　さて、ゴールデンウィークが終わると、母の日がやってきます。みなさんは毎年、どんなふうに過ごしていますか。お母さんと友達親子のようにずっと仲が良い人、昔は仲が良くなかったけどいまは落ち着いている人など、いろいろな状況があると

思います。大人になると、お母さんの有り難みがわかって、より仲良くなれることもありますよね。そこで母の日をきっかけに、あらためて感謝の気持ちを伝えてみてはいかがでしょうか。もちろん「お母さんのようにお世話になった人」への感謝でも素敵です。大切なのは、イベントごとそのものよりも、いろいろな人に感謝できるようになること。そうすれば、充実した毎日が送れるようになるはずです。

　母の日といえばカーネーション。カーネーションの花言葉は「無垢で深い愛」。聖母マリアの涙から生まれたと言われる、母性愛の意味を持ったお花なのです。あらためて、今年はカーネーションを贈ってみてはいかがでしょうか。

　私は昨年、母の日にカーネーションの絵が飛び出すカードを贈りました。実家の猫がかじって遊んでしまうのでお花を贈れずにいたのですが、ちょっと工夫をしてカードにしてみたんです。大人になると、ついプレゼントにお金をかけようとしてしまいがちですよね。でも、大切なのは心を込めること。文房具屋さんで可愛いカードを探すとき、きっと相手の喜ぶ顔を思い浮かべるはずです。このささやかだけど相手を思う気持ちを、カードに乗せて届けましょう。母の日の贈り物のひとつとして、カーネーションのカードも選択肢に加えてみてくださいね。

＊新しくチャレンジしたいことはありますか？ 書き出してみましょう

＊カーネーションや、メッセージカードを
贈りたい人を書き出してみましょう。
お母さん、おばあちゃん、お世話になった人など、
幅広く考えてみてください

2024
**May**

| MONDAY | TUESDAY | WEDNESDAY | THURSDAY |
|--------|---------|-----------|----------|
|  |  | 1 | 2 |
| 6　振替休日 | 7 | 8 | 9 |
| 13 | 14 | 15 | 16 |
| 20 | 21 | 22 | 23 |
| 27 | 28 | 29 | 30 |

* 
* 
* 

| FRIDAY | SATURDAY | SUNDAY |
|---|---|---|
| 3 憲法記念日 | 4 みどりの日 | 5 こどもの日 |
| 10 | 11 | 12 |
| 17 | 18 | 19 |
| 24 | 25 | 26 |
| 31 | | |

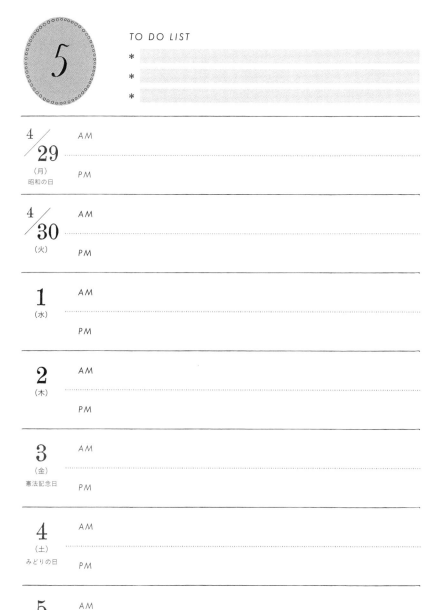

5

TO DO LIST

* 
* 
* 

| 4/29 (月) 昭和の日 | AM |
| | PM |

| 4/30 (火) | AM |
| | PM |

| 1 (水) | AM |
| | PM |

| 2 (木) | AM |
| | PM |

| 3 (金) 憲法記念日 | AM |
| | PM |

| 4 (土) みどりの日 | AM |
| | PM |

| 5 (日) こどもの日 | AM |
| | PM |

## Diary

HUG ME
KISS ME

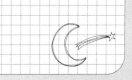

今週、よかったこと

* 
* 
*

5

*TO DO LIST*

* 
* 
* 

| 6<br>(月)<br>振替休日 | AM |
| | PM |

| 7<br>(火) | AM |
| | PM |

| 8<br>(水) | AM |
| | PM |

| 9<br>(木) | AM |
| | PM |

| 10<br>(金) | AM |
| | PM |

| 11<br>(土) | AM |
| | PM |

| 12<br>(日) | AM |
| | PM |

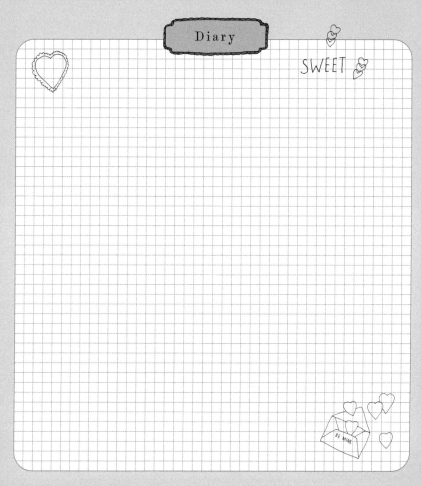

**Diary**

SWEET

今週、よかったこと

\*

\*

\*

---

*This Week's Message*

全員に認められる必要なんてない。
認めてくれた人だけのためにがんばったらいい。

# 5

## 13
(月)

AM

PM

## 14
(火)

AM

PM

## 15
(水)

AM

PM

## 16
(木)

AM

PM

## 17
(金)

AM

PM

## 18
(土)

AM

PM

## 19
(日)

AM

PM

## Diary

XOXO ♡

LOVE

今週、よかったこと

* 
* 
*

**5**

TO DO LIST

* 
* 
* 

**20**
(月)

AM

PM

**21**
(火)

AM

PM

**22**
(水)

AM

PM

**23**
(木)

AM

PM

**24**
(金)

AM

PM

**25**
(土)

AM

PM

**26**
(日)

AM

PM

以降の日付は、次月に続きます。

## Diary

EVERYDAY

今週、よかったこと

* 
* 
* 

This Week's Message

Lesson

新しいものだけ大切にしないで、古いものにも気を遣うこと。
なんでもスパッと切ってしまわずに、じっくり大切にする力をつけること。

# June

Meet a new you through training

## トレーニングで
新しい自分に出会う

　紫陽花の美しい季節。家の近くに紫陽花がたくさん咲いている場所があり、私はそこを散歩するのが大好きです。お花屋さんで紫陽花を買って、おうちで眺めるのも素敵ですね。

　さて6月は、新しい環境にもようやく慣れてきたころではないでしょうか。余裕が出てきて、もっとアクティブに過ごしたいと思うこともあるかもしれません。「アクティブな自分」を引き出すには、まずは運動がおすすめです。

　私はといえば、もともと運動は好きなのですが、すごく得意なわけではありません。学生時代はずっと文化部だったし、大人になってからも、文化的な日々を送ってきました。ミュージカルや映画を鑑賞したり、美術館に行ったり、読書をしたり……。本を書く仕事をしていることもあり、インプットを意識していたのです。運動するにしても、私は筋トレが嫌いで。ヨガとか、ストレッチとか、自分にとってあまり負荷がかからないものを選んでいました。

　でも、友人の紹介がきっかけで2年ほど前からパーソナルト

レーニングを始めて、以前よりも「アクティブな自分」になっ
たように思います。もともと筋肉があまりなかったので、身体
を変化させるのにはとても時間がかかりました。でも、そのぶ
ん大きな変化を感じていて、筋肉は増えましたし、血流がよく
なり冷え性が改善しました。おかげで体力もついて、以前より
も「元気」な自分でいられるようになりました。

　体力に自信がつくと、いろいろなところに顔を出せるように
なり、自然と交友関係の幅が広がります。交友関係が変わると、
休日の過ごし方が変わります。アクティブな予定も増えるので、
自然とアクティブなお友達が増えていきます。運動好きの人た
ちはさっぱりした性格の人が多く、そんなお友達に引っ張られて、
自分も幾分かさっぱりとした性格になったような気がします。

　インプットの趣味ではないと思っていた運動ですが、結果的
に、自分に大きな変化を引き起こすインプットの機会になりま
した。


　運動は健康にも美容にもメンタルにもいいので、運動習慣を
身につけて悪いことはありません。ただ、自分に合った運動が
すぐに見つかるとは限らないので、気長にいろいろなものに挑
戦してみてください。私もそこまでハードに運動しているわけ
ではなくて、パーソナルトレーニングは月に2回と軽めです。
それでも効果を感じているので続けられています。自分が心地
よいペースで取り組めるものを、探していきましょう！

＊やってみたいけど苦手なこと、続かないことを書き出しましょう。
それを克服するきっかけになるような予定を、ぜひ立ててみてください！

＊自分の性格で変えたいところはありますか？
考えてみましょう

2024
June

| MONDAY | TUESDAY | WEDNESDAY | THURSDAY |
|--------|---------|-----------|----------|
|  |  |  |  |
| 3 | 4 | 5 | 6 |
| 10 | 11 | 12 | 13 |
| 17 | 18 | 19 | 20 |
| 24 | 25 | 26 | 27 |

* 
* 
* 

| FRIDAY | SATURDAY | SUNDAY |
|--------|----------|--------|
|        | 1        | 2      |
| 7      | 8        | 9      |
| 14     | 15       | 16     |
| 21     | 22       | 23     |
| 28     | 29       | 30     |

*6*

*TO DO LIST*
* 
* 
* 

| | | |
|---|---|---|
| 5/27 (月) | AM | |
| | PM | |
| 5/28 (火) | AM | |
| | PM | |
| 5/29 (水) | AM | |
| | PM | |
| 5/30 (木) | AM | |
| | PM | |
| 5/31 (金) | AM | |
| | PM | |
| 1 (土) | AM | |
| | PM | |
| 2 (日) | AM | |
| | PM | |

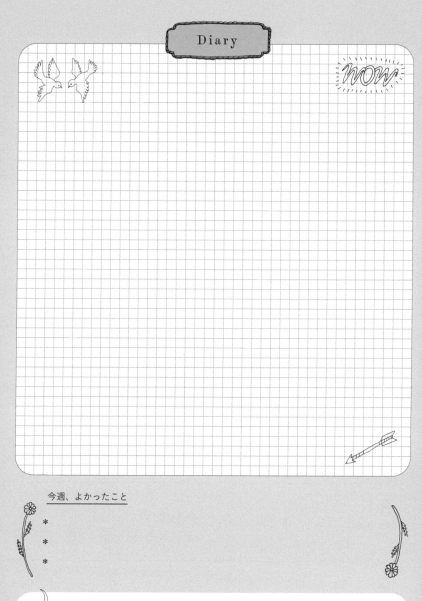

# Diary

WOW

今週、よかったこと

* 
* 
* 

## This Week's Message

きっと分かり合えるという立場から話し合えば、なんだって分かり合えるはず。
間違えながらでも自分の感情を伝える能力を磨いていこう。

# 6

TO DO LIST

* 
* 
* 

**3**
(月)

AM

PM

**4**
(火)

AM

PM

**5**
(水)

AM

PM

**6**
(木)

AM

PM

**7**
(金)

AM

PM

**8**
(土)

AM

PM

**9**
(日)

AM

PM

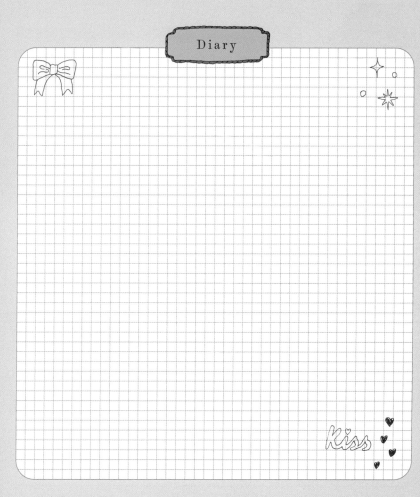

## Diary

今週、よかったこと

* 
* 
*

## 6

**10**
(月)

AM

PM

**11**
(火)

AM

PM

**12**
(水)

AM

PM

**13**
(木)

AM

PM

**14**
(金)

AM

PM

**15**
(土)

AM

PM

**16**
(日)

AM

PM

# Diary

Kina
Kina

今週、よかったこと

\* 

\* 

\* 

*This Week's Message*

意見が合わなくても、一旦感謝してみる。
すると、自然とその意見の大切な意味を見つけられる。

Action

# 6

TO DO LIST

* 
* 
* 

**17**
（月）

AM

PM

**18**
（火）

AM

PM

**19**
（水）

AM

PM

**20**
（木）

AM

PM

**21**
（金）

AM

PM

**22**
（土）

AM

PM

**23**
（日）

AM

PM

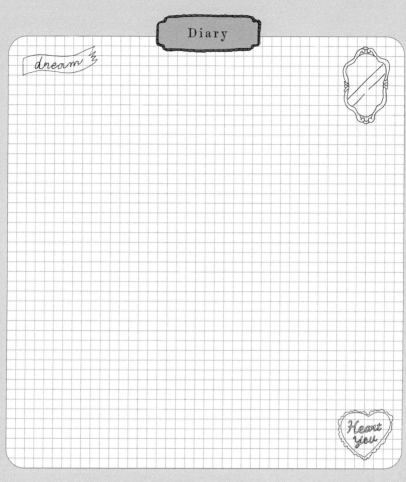

## Diary

*dream*

今週、よかったこと

\*
\*
\*

# 6

* 
* 
* 

**24**
(月)

AM

PM

**25**
(火)

AM

PM

**26**
(水)

AM

PM

**27**
(木)

AM

PM

**28**
(金)

AM

PM

**29**
(土)

AM

PM

**30**
(日)

AM

PM

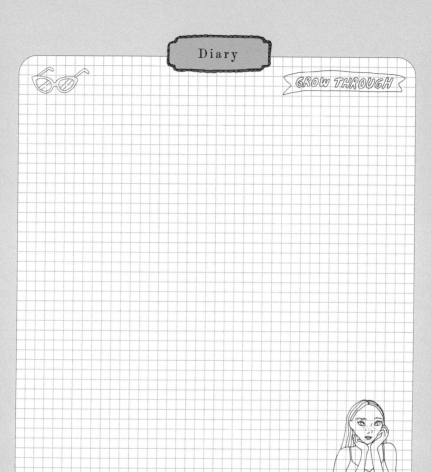

# Diary

GROW THROUGH

今週、よかったこと

* 
* 
* 

*This Week's Message*

落ち込んだぶんだけ変わることができる。
落ち込んだ深さだけ気づくことができる。

July

*.*.*.*.*.*.*.*.*.*.*.*.*.*.*.*.*.*.*.*.*.*.*.*.*

Lesson.07

—

Enjoy a Japanese summer

*.*.*.*.*.*.*.*.*.*.*.*.*.*.*.*.*.*.*.*.*.*.*.*.*

日本の夏を
堪能する

　いよいよ夏が来ましたね。夏らしい思い出といえば、どんな
ものを思い浮かべますか？　子どものころ、お祭りで綿飴を食
べたり、金魚すくいをしたりしたことでしょうか。学生時代の、
浴衣を着た花火大会デートでしょうか。きっと、楽しい思い出
がたくさんあることでしょう。

　でも大人になると、混雑したイベントに出かけたり、わざわ
ざ着飾ったりする機会は減ってしまいますよね。今月は、浴衣
を着て花火大会に行ってみませんか。自分のセンスを生かして
カラフルな浴衣を選ぶのもよし、白地に藍染めの模様が入った
伝統的な浴衣で、大人の美しさを纏うのもよし。大人になって
から、年相応に着飾るのは難しいものです。いざというときに
かっこよく決めるために、今月は浴衣を着こなす練習をしま
しょう！

　その前に、少し歴史を振り返ってみましょう。浴衣の原型に
なったものは平安時代に生まれましたが、一般庶民に広がった
のは江戸時代からです。現代では可愛いデザインの浴衣がたく
さんありますが、昔は白地や紺地（藍染め）のものが主流でし

た。諸説ありますが、白地の浴衣はお昼に、藍染めの浴衣は夜に着られていたのだとか。白地のものは見た目にも涼しいという理由で、藍染めのものは藍の香りが持つ虫よけ効果のためと言われています。機能性がすごいですよね。白地や紺地の浴衣はなんだか地味かもと思っていても、知識を得てその価値がちゃんとわかるようになると、より大切に着たくなるものです。

また、花火大会にも歴史が詰まっています。海外では新年やお祝いのときに花火が上がりますが、日本では、花火大会といえば夏に開催されますよね。それには、日本の花火大会の起源が関係しています。

遡ること約300年、大飢饉や疫病により、江戸でたくさんの死者が出た年がありました。その翌年に、将軍吉宗が死者の慰霊と悪疫退散を祈って両国で水神祭を開催し、その際に花火を打ち上げたことが花火大会の始まりとされています。日本の花火大会は、じっくりひとつひとつの花火を鑑賞するものが多く、夜空に響く音も、はかない美しさを演出しています。それは、もともと慰霊の意味があったからなのかもしれません。

なかなか花火大会に行けない人は、おうちで浴衣を着てみるのはいかがでしょう。そして風鈴の音が聞こえるお庭で、蚊取り線香を焚きながら、風にゆらぐ線香花火を見つめるのです。とても素敵な夜ですね。この夏は、ぜひ日本の文化に触れるイベントを計画してみましょう。

＊今月行きたいイベントを考えてみましょう

＊好きな日本の文化はなんですか？
どこが好きなのか、なぜ好きなのか、深掘りしてみましょう

2024
July

| MONDAY | TUESDAY | WEDNESDAY | THURSDAY |
|--------|---------|-----------|----------|
| 1 | 2 | 3 | 4 |
| 8 | 9 | 10 | 11 |
| 15 海の日 | 16 | 17 | 18 |
| 22 | 23 | 24 | 25 |
| 29 | 30 | 31 | |

*WISH LIST*

* 
* 
* 

| FRIDAY | SATURDAY | SUNDAY |
|--------|----------|--------|
| 5 | 6 | 7 |
| 12 | 13 | 14 |
| 19 | 20 | 21 |
| 26 | 27 | 28 |
|  |  |  |

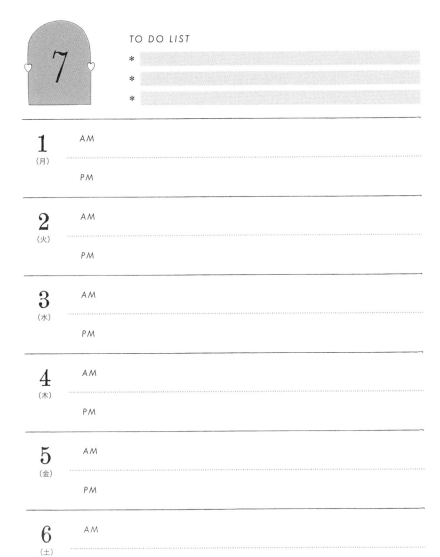

# 7

## TO DO LIST
* 
* 
* 

**1** (月)
AM

PM

**2** (火)
AM

PM

**3** (水)
AM

PM

**4** (木)
AM

PM

**5** (金)
AM

PM

**6** (土)
AM

PM

**7** (日)
AM

PM

## Diary

今週、よかったこと

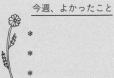

*
* *
*

---

*This Week's Message*

女友達を大切にすること。
心がほぐれるお友達を、しっかりつくっておくこと。

CHALLENGE

# 7

TO DO LIST

* 
* 
* 

---

**8**
(月)

AM

PM

---

**9**
(火)

AM

PM

---

**10**
(水)

AM

PM

---

**11**
(木)

AM

PM

---

**12**
(金)

AM

PM

---

**13**
(土)

AM

PM

---

**14**
(日)

AM

PM

---

HUG ME
KISS ME

## Diary

今週、よかったこと

* 
* 
*

**7**

*TO DO LIST*

* 
* 
* 

---

**15**
(月)
海の日

AM
.............................................................
PM

---

**16**
(火)

AM
.............................................................
PM

---

**17**
(水)

AM
.............................................................
PM

---

**18**
(木)

AM
.............................................................
PM

---

**19**
(金)

AM
.............................................................
PM

---

**20**
(土)

AM
.............................................................
PM

---

**21**
(日)

AM
.............................................................
PM

---

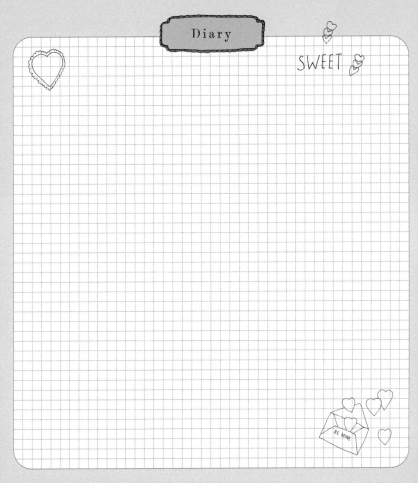

## Diary

SWEET

今週、よかったこと

\*
\*
\*

*This Week's Message*

不器用でも、自分の感情に正直に生きる。
それが理解されなくてもいい。失敗してもいい。

**7**

*TO DO LIST*

* 
* 
* 

---

**22**
(月)

AM

PM

---

**23**
(火)

AM

PM

---

**24**
(水)

AM

PM

---

**25**
(木)

AM

PM

---

**26**
(金)

AM

PM

---

**27**
(土)

AM

PM

---

**28**
(日)

AM

PM

以降の日付は、次月に続きます。

# Diary

XOXO ♡

LOVE

今週、よかったこと

* 
* 
* 

Gssls

# August

* * * * * * * * * * * * * * * * * * * * * * * * * * * *

Lesson.08

—

Traveling will give you new hobbies

* * * * * * * * * * * * * * * * * * * * * * * * * * * *

旅に出ると
趣味が生まれる

　さて、真夏の到来です！　今月、夏休みを取る人も多いのではないでしょうか。夏休みを使って普段なかなか行けないところを旅すると、心と身体の良い刺激になります。

　私は普段、おうちの中や近場のお出かけでも楽しめてしまうタイプ。それはお料理をつくったり、美術館へ出かけたり、ミュージカルを鑑賞したりと、いろいろな趣味があるからです。でも、その趣味の原点は旅にあります。とくに影響を受けたのは、フランス・パリやイタリア、オーストリア・ウィーンなど、ヨーロッパ各地を巡ったことでした。遠く離れた国へ行くとそれだけ文化の違いが大きくなるので、より刺激が得られるのです。

　例えば、パリでは最高の芸術に触れ、アートが大好きになりました。世界最大級の美術館、ルーヴル美術館は、パリ中心部の１区にあります。街の中心にあるものが美術館だなんて、素敵ですよね。パリにはそれだけ一流のアートが集まっているし、美術館だけではなく、美術学校やオペラ座などアートにまつわるものがたくさんあります。パリに行けば、自然とアートへの関心が高まるのです。アートに関する教養本を出版したことも

あるほどアート好きな私ですが、旅先でアートに出会わなかったら、今でもまったく興味がなかったと思います。

　イタリアで飲んだワインは本当に美味しくて、これこそが本当のワインなんだ！　と思いましたし、より一層ワインや、ワインにあうお料理が好きになりました。

　ウィーンではハプスブルク家の皇后エリザベートのお家を見て、エリザベートへの興味が増し、今ではミュージカル『エリザベート』が大好きです。

　本場のものに触れると「これが本物なんだ」と実感できますし、こんなに素晴らしい文化が世界にはあるのだと、感動で心が動きます。そして自然と「もっと知りたい！」という気持ちが生まれるのです。私はこんなふうにして、旅をきっかけに、さまざまなことに興味を持っていきました。


　なかなか時間がとれない人には、韓国や台湾、上海、香港などの東アジアや、少し足を伸ばして、ベトナム、タイ、マレーシアやセブ島などの東南アジアがおすすめ。私のお友達は、台湾旅行をきっかけに、台湾茶の資格をとっていました。別のお友達は韓国で食べた薬膳鍋が美味しすぎて、薬膳のセットを買い、食べ方を研究するという趣味を始めています。


　おうちでじっとしていても、趣味はなかなか増やせません。旅の体験はきっとあなたの価値観を広げ、人生を豊かにしてくれます。勇気を出して、旅にでかけましょう。

＊旅の計画を立ててみましょう。
行ってみたい国や地域はありますか？

＊あなたの趣味は何ですか？
また、これから趣味にしたいものはありますか？
夏の思い出の中にヒントがあるかもしれません

2024
August

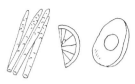

| MONDAY | TUESDAY | WEDNESDAY | THURSDAY |
|---|---|---|---|
| | | | 1 |
| 5 | 6 | 7 | 8 |
| 12 振替休日 | 13 | 14 | 15 |
| 19 | 20 | 21 | 22 |
| 26 | 27 | 28 | 29 |

* 
* 
* 

| FRIDAY | SATURDAY | SUNDAY |
|--------|----------|--------|
| 2 | 3 | 4 |
| 9 | 10 | 11 山の日 |
| 16 | 17 | 18 |
| 23 | 24 | 25 |
| 30 | 31 | |

# 8

| 7/29 (月) | AM |
| | PM |

| 7/30 (火) | AM |
| | PM |

| 7/31 (水) | AM |
| | PM |

| 1 (木) | AM |
| | PM |

| 2 (金) | AM |
| | PM |

| 3 (土) | AM |
| | PM |

| 4 (日) | AM |
| | PM |

Diary

EVERYDAY

今週、よかったこと

* 
* 
* 

Lesson

*This Week's Message*

自分のエネルギーを上手に使える人が、自分の花をたくさん咲かせる。

# 8

## TO DO LIST

* 
* 
* 

---

**5**
(月)

AM

PM

---

**6**
(火)

AM

PM

---

**7**
(水)

AM

PM

---

**8**
(木)

AM

PM

---

**9**
(金)

AM

PM

---

**10**
(土)

AM

PM

---

**11**
(日)
山の日

AM

PM

---

# Diary

今週、よかったこと

* *
* *
* *

---

# 8

TO DO LIST

* 
* 
* 

**12**
(月)
振替休日

AM

PM

**13**
(火)

AM

PM

**14**
(水)

AM

PM

**15**
(木)

AM

PM

**16**
(金)

AM

PM

**17**
(土)

AM

PM

**18**
(日)

AM

PM

## Diary

今週、よかったこと

* 
* 
* 

### This Week's Message

運命の人というのは、どこかに隠れているわけではない。
いろんなことをともに乗り越えて、はじめて運命の人になる。

*8*

TO DO LIST

* 
* 
* 

| **19** (月) | AM |
| | PM |

| **20** (火) | AM |
| | PM |

| **21** (水) | AM |
| | PM |

| **22** (木) | AM |
| | PM |

| **23** (金) | AM |
| | PM |

| **24** (土) | AM |
| | PM |

| **25** (日) | AM |
| | PM |

以降の日付は、次月に続きます。

# Diary

Kira
Kira

今週、よかったこと

*

*

*

---

*This Week's Message*

大勢の人に認められたければ、目の前のたった1人を大切にすること。
その積み重ねでしか、多くの人からの支持は得られない。

Action

# September

* * * * * * * * * * * * * * * * * * * * * * * * * * * * * * *

Lesson.09

—

## Cherish chatting with friends

* * * * * * * * * * * * * * * * * * * * * * * * * * * * * * *

おしゃべりを
大切に

　９月になりましたね。芸術の秋と言いたいところですが、ま
だまだ暑い日が続いているかもしれません。夏のもわっとした
生ぬるい風が、涼しい秋の風に変わったのを感じると、毎年
ちょっと嬉しい気分になります。今年はいつ、そんな風が吹い
てくれるのでしょうか。

　さて今月は、自分の大切なお友達について考えてみましょう。
交友関係には波があるものですし、出会ってすぐ仲良くなって
頻繁に会うお友達もいれば、数ヶ月に１回お茶をしてゆるく
つながっている長年のお友達もいて、関係性はさまざま。では、
みなさんの交友関係の中で、あまり気をつかわずに話せるお友
達は何人いるでしょうか。

　私たちには、いくつになっても心の許せるお友達が必要です。
だから年齢にかかわらず「女子たちの井戸端会議」が存在する
のですね。

　忙しい日々を送っていると、ついお友達との時間を後回しに
しがちです。約束の調整を手間に感じてしまったり、家にいた

ほうが楽だからと引きこもってしまったり。でも、人とのつながりが薄くなりすぎてしまうと、私たちの心は弱ってしまいます。誰かとお話ができる環境を常に整えておくのは、とても大切なことなのです。とくに、自分の環境が変わるときには要注意。転職や異動があったり、子どもが学校を卒業してママ友と会わなくなったり、恋人とお別れをしたり。そんなときにこそ、お友達と思う存分おしゃべりをして、心をリラックスさせてください。

　そして、大切なお友達が環境の変化に直面したときには、優しく声をかけられる自分でありたいですね。お友達を思いやりながらも、何気ない雑談に花を咲かせて。きっとその時間は、自分にとってもお友達にとっても、素敵な人生のひとときになることでしょう。


　今月は、大切なお友達との予定を意識的に入れましょう。できれば3人くらいに会ってみるのがいいですね。いつもは自分から誘わない人も、ぜひこれをきっかけに声をかけてみてください。誘いたい人がすぐには思いつかないときは、「心おきなく雑談できるお友達が大切」なことだけでも、心にとめておきましょう。

＊今月誘いたいお友達の名前を書き出してみましょう

＊どんなときに心がリラックスしますか？ 考えてみましょう

2024
# September

| MONDAY | TUESDAY | WEDNESDAY | THURSDAY |
|--------|---------|-----------|----------|
|        |         |           |          |
| 2      | 3       | 4         | 5        |
| 9      | 10      | 11        | 12       |
| 16 敬老の日 | 17   | 18        | 19       |
| 23 振替休日 | 24    | 25        | 26       |
| 30     |         |           |          |

* 
* 
* 

| FRIDAY | SATURDAY | SUNDAY |
|--------|----------|--------|
|  |  | 1 |
| 6 | 7 | 8 |
| 13 | 14 | 15 |
| 20 | 21 | 22 秋分の日 |
| 27 | 28 | 29 |

# 9

TO DO LIST

* 
* 
* 

---

8 / **26**
(月)

AM

PM

---

8 / **27**
(火)

AM

PM

---

8 / **28**
(水)

AM

PM

---

8 / **29**
(木)

AM

PM

---

8 / **30**
(金)

AM

PM

---

8 / **31**
(土)

AM

PM

---

**1**
(日)

AM

PM

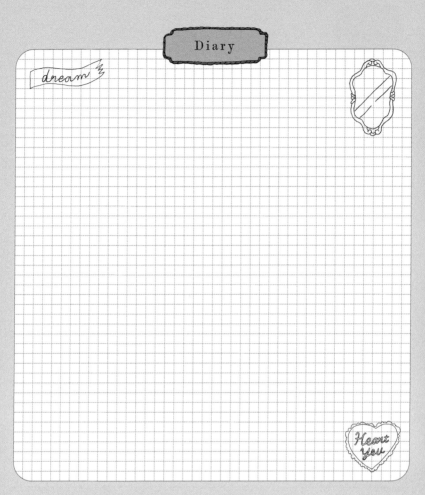

# Diary

*dream*

*Heart You*

今週、よかったこと

* 
* 
* 

*This Week's Message*

日本の美を取り入れること。文化の中にはいつも美しさが眠っている。

# 9

* 
* 
* 

**2**
(月)

AM

PM

**3**
(火)

AM

PM

**4**
(水)

AM

PM

**5**
(木)

AM

PM

**6**
(金)

AM

PM

**7**
(土)

AM

PM

**8**
(日)

AM

PM

## Diary

今週、よかったこと

* 

* 

* 

*This Week's Message*

落ち込んでいる誰かを、そっと支えられる女性になろう。
あの人になら相談できるかもと思われるような、優しさの幅を持っておこう。

DREAM

# 9

TO DO LIST

* 
* 
* 

**9**
(月)

AM

PM

**10**
(火)

AM

PM

**11**
(水)

AM

PM

**12**
(木)

AM

PM

**13**
(金)

AM

PM

**14**
(土)

AM

PM

**15**
(日)

AM

PM

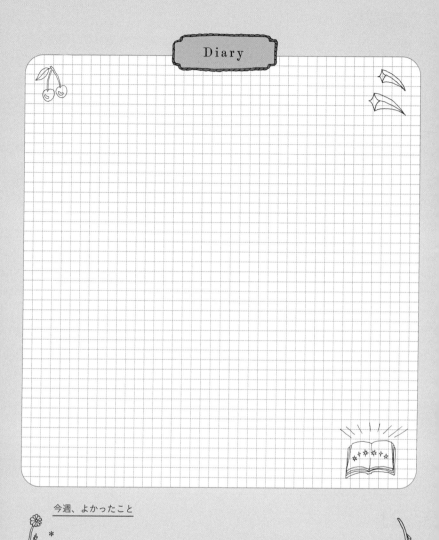

# Diary

今週、よかったこと

\* \* \*

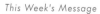

*This Week's Message*

悲しいことがあったときは、新しいことにチャレンジしよう。
悲しい記憶の居場所がなくなるくらい、多くのことを吸収しよう。

CHALLENGE

*9*

* 
* 
* 

**16**
(月)
敬老の日

AM

PM

**17**
(火)

AM

PM

**18**
(水)

AM

PM

**19**
(木)

AM

PM

**20**
(金)

AM

PM

**21**
(土)

AM

PM

**22**
(日)
秋分の日

AM

PM

HUG ME

KISS ME

**Diary**

今週、よかったこと

*

*

*

*This Week's Message*

簡単なことほど続けることが難しい。
初心に返って、小さな積み重ねを、もう一度大切にしていくこと。

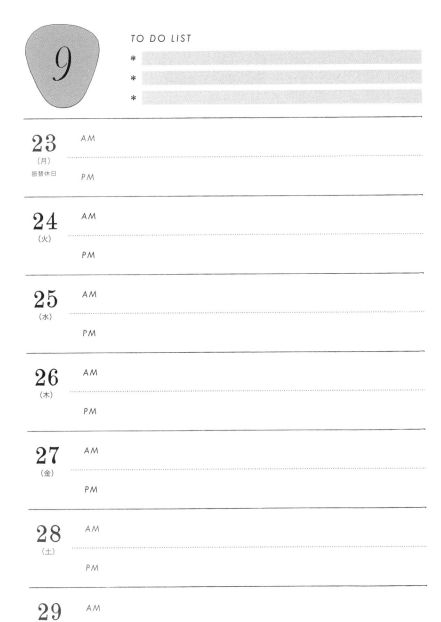

# 9

## TO DO LIST

* 
* 
* 

**23** (月)
振替休日

AM

PM

**24** (火)

AM

PM

**25** (水)

AM

PM

**26** (木)

AM

PM

**27** (金)

AM

PM

**28** (土)

AM

PM

**29** (日)

AM

PM

以降の日付は、次月に続きます。

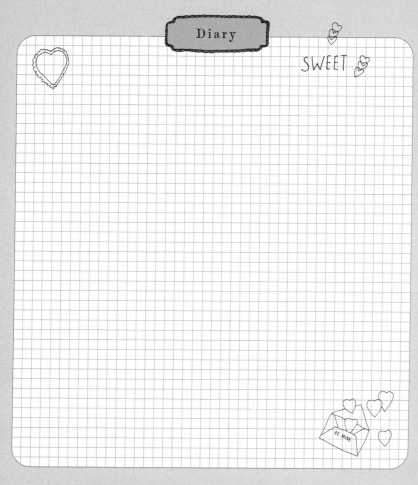

## Diary

SWEET

BE MINE

今週、よかったこと

* 
* 
* 

---

### This Week's Message

迷っているのは、やりたいから。
迷っている時間がもったいない。すぐに行動に移すこと。

# 10

## October

* * * * * * * * * * * * * * * * * * * * * * * * * * * * * * * * * * * * *

Lesson.10

—

Invite friends to your house

* * * * * * * * * * * * * * * * * * * * * * * * * * * * * * * * * *

おうちに人を招く

　すっかり秋になったころでしょうか。私は紅葉が大好きで、秋には神宮外苑の銀杏並木をお散歩するのがお気に入り。日中になると混雑する人気スポットですが、早起きして朝の並木道を歩くと、人も少なく静かで空気も気持ちよくて、とても贅沢な気分になります。

　先月のコラムではお友達と会うことを提案しましたが、今月はおうちにお友達を呼んでみませんか。普段、人を呼び慣れていない人は戸惑うかもしれませんね。

　私のお友達に、おうちに人を呼び慣れている子がいて、彼女のおうちではいつも心地よく過ごせます。実家のような空気感で、ついつい長居してしまうのです。おしゃれなおうちなのですが、変に気張っておらず、等身大でありのままの暮らしが感じられます。過度なおもてなしをされることもありません。

　もちろん相手をもてなそうとする心づかいは大事ですが、それで自分もお客さんも疲れてしまってはよくないですよね。慌てて大掃除をしたり、部屋を豪華に飾り付けたりするのではなく、自分にとって心地よい空間になるように、常におうちを整

えておくことが大切。それに、来客がいつあってもいいように
と思えば、自然と普段から片付けに意識が向きます。今月お友
達を呼ぶことを、心地よいおうちづくりのきっかけにしてみま
しょう。

　私も昔、来客時に切り花を買っていたことがありましたが、
いまでは自分が長く楽しめるグリーンを置いています。10月
ならススキ、パンパスグラスや小さなカボチャをディスプレイ
するのがおすすめです。小さいカボチャのような実をつける、
パンプキンツリーという植物も可愛いですよ。
　また、普段から掃除しやすい空間づくりをしてみてください。
私の場合、重い掃除機だと使うのが億劫なので、軽い掃除機を
取り出しやすいところに置いて、こまめに使うようにしていま
す。散らかりがちな洋服は片付けやすい場所で脱ぎ着していま
すし、好きな掃除用具を揃えておくのもいいですね。
　ほかにも、寝る前に洗い物や洗濯、お部屋の片付けなどを一
通り済ませるように意識しています。夜にお掃除をする習慣が
つくと、リフレッシュした気分のまま眠れますよ。お友達を呼
ぶのに大掃除をしなくてもいいように、日々小さな工夫を取り
入れて、心地よいおうちをつくっていきましょう。

＊おうちに招待したいお友達は誰か、
　考えてみましょう




＊心地よいおうちづくりのために、
　どんな工夫ができそうですか？

10

2024
October

| MONDAY | TUESDAY | WEDNESDAY | THURSDAY |
|--------|---------|-----------|----------|
|  | 1 | 2 | 3 |
| 7 | 8 | 9 | 10 |
| 14 スポーツの日 | 15 | 16 | 17 |
| 21 | 22 | 23 | 24 |
| 28 | 29 | 30 | 31 |

* 
* 
* 

| FRIDAY | SATURDAY | SUNDAY |
|--------|----------|--------|
| 4 | 5 | 6 |
| 11 | 12 | 13 |
| 18 | 19 | 20 |
| 25 | 26 | 27 |
| | | |

**10**

TO DO LIST

* 
* 
* 

---

9/30 (月)
AM
PM

---

1 (火)
AM
PM

---

2 (水)
AM
PM

---

3 (木)
AM
PM

---

4 (金)
AM
PM

---

5 (土)
AM
PM

---

6 (日)
AM
PM

## Diary

XOXO ♡

LOVE

今週、よかったこと

\* 

\* 

\*

*10*

TO DO LIST

* 
* 
* 

| 7<br>(月) | AM |
| | PM |

| 8<br>(火) | AM |
| | PM |

| 9<br>(水) | AM |
| | PM |

| 10<br>(木) | AM |
| | PM |

| 11<br>(金) | AM |
| | PM |

| 12<br>(土) | AM |
| | PM |

| 13<br>(日) | AM |
| | PM |

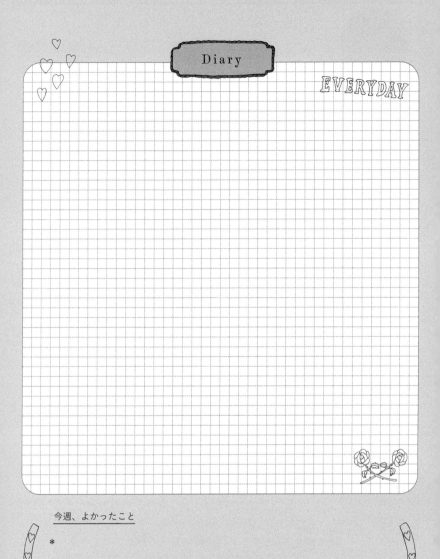

## Diary

EVERYDAY

今週、よかったこと

* 
* 
* 

*This Week's Message*

良質なコンプレックスは、じっくり時間をかけてその人の羅針盤になってくれるもの。
苦しいなにかを抱えている人は、それを解決するために進んでいける。

10

TO DO LIST

* 
* 
* 

**14**
(月)
スポーツの日

AM

PM

**15**
(火)

AM

PM

**16**
(水)

AM

PM

**17**
(木)

AM

PM

**18**
(金)

AM

PM

**19**
(土)

AM

PM

**20**
(日)

AM

PM

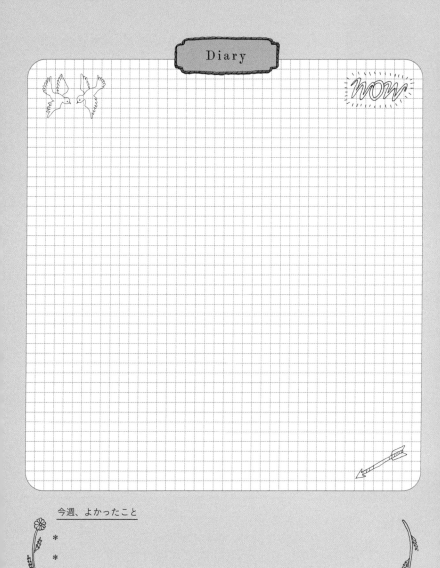

## Diary

今週、よかったこと

* *
* *
* *

### This Week's Message

ネックレスは顔が美しく映えるものを、ピアスは揺れて顔に目がいくものを、
リングは光って触れたくなるものを選ぶこと。

**10**

| **21**<br>（月） | AM |
| | PM |

| **22**<br>（火） | AM |
| | PM |

| **23**<br>（水） | AM |
| | PM |

| **24**<br>（木） | AM |
| | PM |

| **25**<br>（金） | AM |
| | PM |

| **26**<br>（土） | AM |
| | PM |

| **27**<br>（日） | AM |
| | PM |

以降の日付は、次月に続きます。

## Diary

 今週、よかったこと

* ＊
* ＊
* ＊

*This Week's Message*

自信がある女ほど、強くてやさしい。

# 11

## November

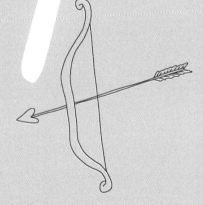

* * * * * * * * * * * * * * * * * * * * * * *

Lesson.11

—

Love cupid

* * * * * * * * * * * * * * * * * * * * * * *

恋のキューピッド

　この手帳には毎年必ず1つ、恋や愛にまつわるお話を入れ
るようにしています。愛する気持ちって、やっぱり人生で一番
大切なものだからです。人に対してだけではなく、モノや動物、
植物、環境などいろいろなものに愛情を持つことが、優しさに
あふれるいい女の根本にあると思います。

　ということで、今月は恋のキューピッドについて。みなさん、
キューピッドと天使の違いはご存じですか。日本ではギリシャ
神話やローマ神話、キリスト教に触れる機会が少ないので、あ
まりよくわからないかもしれませんね。簡単にいうと、弓矢を
持っているのがキューピッド、持っていないのが天使です。天
使は頭に輪っかがついていることもあります。どちらにも羽が
生えていますが、キューピッドはローマ神話における恋の神様
（ギリシャ神話のエロスという神様にあたる）で、天使はキリ
スト教などにおける神様の使い。似て非なるものなのですね。
　ギリシャ神話、ローマ神話では、恋の神様が金の矢を放ち、
自分の心臓に命中すると恋に落ちると言われていました。逆に、
鉛の矢が心臓に命中すると、恋を嫌悪するようになるのだとか。

理屈では説明できない恋に落ちるときってありますよね。うまく自分の心がコントロールできずに、つらくなってしまうこともあるかもしれません。そんなときは「神様のしわざ」と解釈してみませんか。なんだか気が楽になるのではないでしょうか。恋だけではなく、心がどうにもならなくて苦しいときや、理解を超えた出来事に直面したときにも、あえて「不思議な何かのしわざかも」と考えてみるといいでしょう。自分のせいでこんなことが起きた、反省点はどこだろう、そんなふうに考えるくせのある人こそ、キューピッドのことを思い出してみてください。心がちょっと軽くなるかもしれません。

　恋や愛に悩んだときは、芸術に触れるのがおすすめ。自分の視野を広げてくれる力があるからです。ただ鑑賞するだけでもいいのですが、文化や歴史まで深く理解するために、解説を楽しんでみてください。美術館で音声ガイドを活用したり、ピアノ経験者と一緒にピアノコンサートに行って見どころを教えてもらったり、方法はいろいろ。最近では美術や音楽などの解説動画がネット上に豊富にあるので、予習してから観に行くのもいいですね。

　自分がまったく知らないこと、まだあまり興味が持てていないことにも試しに飛び込んでみると、視点が変わり、価値観が広がります。恋や愛のヒントもきっと、見つかりますよ。

＊いま、心につっかえていることはありますか？
　　ここに書き出してみましょう

＊芸術の秋。行ってみたい美術展などはありますか？
　　考えてみましょう

2024
# November

| MONDAY | TUESDAY | WEDNESDAY | THURSDAY |
|--------|---------|-----------|----------|
|  |  |  |  |
| 4　振替休日 | 5 | 6 | 7 |
| 11 | 12 | 13 | 14 |
| 18 | 19 | 20 | 21 |
| 25 | 26 | 27 | 28 |

* 
* 
* 

| FRIDAY | SATURDAY | SUNDAY |
|--------|----------|--------|
| 1 | 2 | 3 文化の日 |
| 8 | 9 | 10 |
| 15 | 16 | 17 |
| 22 | 23 勤労感謝の日 | 24 |
| 29 | 30 | |

**11**

*TO DO LIST*

* 
* 
* 

| 10/28 (月) | AM |
| | PM |

| 10/29 (火) | AM |
| | PM |

| 10/30 (水) | AM |
| | PM |

| 10/31 (木) | AM |
| | PM |

| 1 (金) | AM |
| | PM |

| 2 (土) | AM |
| | PM |

| 3 (日) 文化の日 | AM |
| | PM |

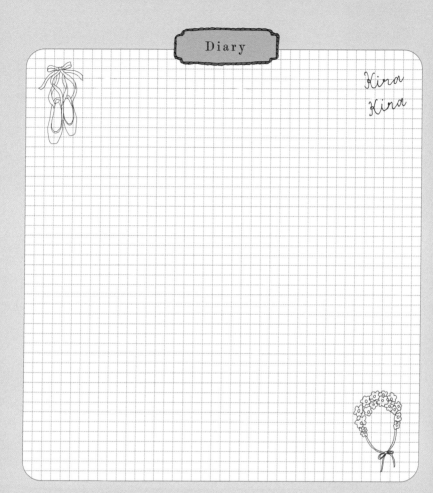

## Diary

Kira
Kira

今週、よかったこと

\* 
\* 
\*

Action

## 11

**4**
(月)
振替休日

AM

PM

**5**
(火)

AM

PM

**6**
(水)

AM

PM

**7**
(木)

AM

PM

**8**
(金)

AM

PM

**9**
(土)

AM

PM

**10**
(日)

AM

PM

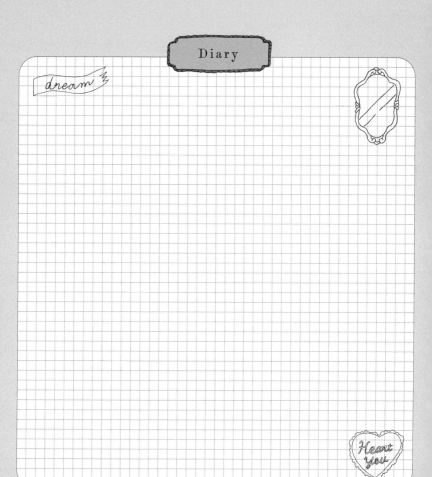

## Diary

*dream*

今週、よかったこと

* 
* 
* 

*This Week's Message*

愛している人が大切にしていることを、自分も大切にしていくこと。

## 11

TO DO LIST

* 
* 
* 

**11**
(月)

AM

PM

**12**
(火)

AM

PM

**13**
(水)

AM

PM

**14**
(木)

AM

PM

**15**
(金)

AM

PM

**16**
(土)

AM

PM

**17**
(日)

AM

PM

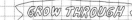

# Diary

GROW THROUGH

今週、よかったこと

*
*
*

This Week's Message

相手の過去まで全部愛せなくていい。
一緒にいる時間、その瞬間だけを見つめて楽しめばいい。

DREAM

*11*

TO DO LIST

* 
* 
* 

| | |
|---|---|
| **18**<br>(月) | AM |
| | PM |
| **19**<br>(火) | AM |
| | PM |
| **20**<br>(水) | AM |
| | PM |
| **21**<br>(木) | AM |
| | PM |
| **22**<br>(金) | AM |
| | PM |
| **23**<br>(土)<br>勤労感謝の日 | AM |
| | PM |
| **24**<br>(日) | AM |
| | PM |

以降の日付は、次月に続きます。

## Diary

今週、よかったこと

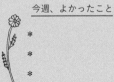

* *
* *
* *

*This Week's Message*

与える人になること。自分の能力を、知識を、優しさを。
そうすれば、もっともっと幸せになれる。

CHALLENGE

# December

* * * * * * * * * * * * * * * * * * * * * * * * * * * * * *

Lesson.12

Christmas dinner with Baccarat glasses

* * * * * * * * * * * * * * * * * * * * * * * * * * * * * *

バカラのグラスで
クリスマスディナーを

　クリスマスを楽しむ準備、みなさんは進めていますか？　私は11月ごろから、クリスマス用の装飾を刺繍でつくったりしています。クリスマスツリーやサンタブーツのオブジェ、おしゃれなライトなどでおうちを飾るとうきうきしますよね。

　今月おすすめしたいのが、クリスマスディナーの予定をいれること。私は、なるべく毎年ディナーを楽しむようにしています。とくに本格的なフレンチは、五感が刺激されるのでお気に入りです。

　私は食前酒にシャンパンを頂くのですが、ぜひシャンパングラスの形状に注目してみてください。細長い形のため空気とシャンパンが触れ合う面積が少なく、シャンパンの炭酸が抜けにくくなっているのです。また、グラスの底には小さな傷がついており、炭酸の気泡が綺麗に出るように設計されています。目でも楽しめる工夫がされているのですね。薄いグラスの繊細な口当たりを感じながらシャンパンを頂くと、うっとりとした気分に。ちなみに、フランスのシャンパーニュ地方でつくられたスパークリングワインのことを、シャンパンといいます。

使われている食器の価値を知ることも刺激になります。有名なのは「バカラ」のグラス。バカラのクリスタルガラスの歴史は、ルイ15世がフランスのロレーヌ地方、バカラ村でのガラス工場設立を認可したことから始まりました。1841年、フランス貴族のためにつくられたグラスから「アルクール」シリーズが誕生し、現代まで愛され続けています。そのほか、「クリストフル」はフランスを代表するシルバーカトラリーメーカーです。しっかりとしたシルバーの重さを感じながら、お料理を丁寧に楽しみましょう。また、フレンチはお皿の使い方も特徴的です。お料理を載せたときの余白を大切にしており、絵画のキャンバスのようにお料理を際立たせます。

　お料理そのものだけでなく、食器やカトラリーにまで目を向けると、その店やシェフのこだわりをより強く感じることができますし、感動できるポイントが増えるのです。

　今年の締めくくりには、少し奮発して、素敵なお洋服を身に纏い、大切な人とクリスマスディナーを楽しんでみてください。


　さて、こちらが今年最後のコラムです。ここまで、毎月のワークには取り組めましたか？　思考を巡らせ、紙とペンで言葉を紡ぐ時間は、きっとみなさんを癒やしてくれたはずです。これからも、書き出すことを通じて、自分の人生を彩ってみてください。また来年もみなさんとお会いできることを楽しみにしています。

＊気になるクリスマスディナーをピックアップしてみましょう

＊五感の刺激になりそうな予定を考えてみましょう

2024
December

| MONDAY | TUESDAY | WEDNESDAY | THURSDAY |
|--------|---------|-----------|----------|
|        |         |           |          |
| 2      | 3       | 4         | 5        |
| 9      | 10      | 11        | 12       |
| 16     | 17      | 18        | 19       |
| 23     | 24      | 25        | 26       |
| 30     | 31      |           |          |

* 
* 
* 

| FRIDAY | SATURDAY | SUNDAY |
|--------|----------|--------|
|  |  | 1 |
| 6 | 7 | 8 |
| 13 | 14 | 15 |
| 20 | 21 | 22 |
| 27 | 28 | 29 |

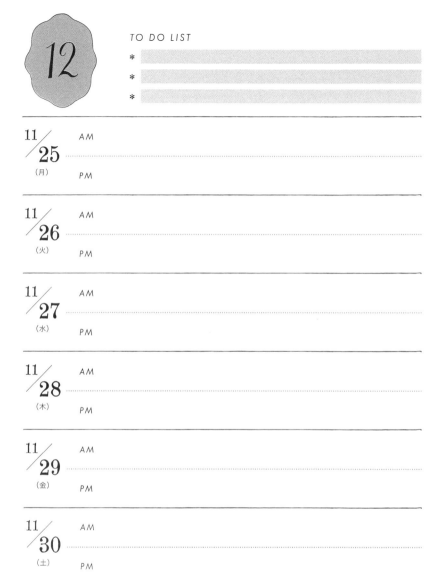

*12*

TO DO LIST
* 
* 
* 

| 11/25 (月) | AM |
| | PM |

| 11/26 (火) | AM |
| | PM |

| 11/27 (水) | AM |
| | PM |

| 11/28 (木) | AM |
| | PM |

| 11/29 (金) | AM |
| | PM |

| 11/30 (土) | AM |
| | PM |

| 1 (日) | AM |
| | PM |

HUG ME
KISS ME

Diary

今週、よかったこと

\*

\*

\*

This Week's Message

繊細な質感が、繊細な心を引き出してくれる。
繊細を楽しむ時間を。

**12**

TO DO LIST

* 
* 
* 

---

**2**
(月)

AM

PM

---

**3**
(火)

AM

PM

---

**4**
(水)

AM

PM

---

**5**
(木)

AM

PM

---

**6**
(金)

AM

PM

---

**7**
(土)

AM

PM

---

**8**
(日)

AM

PM

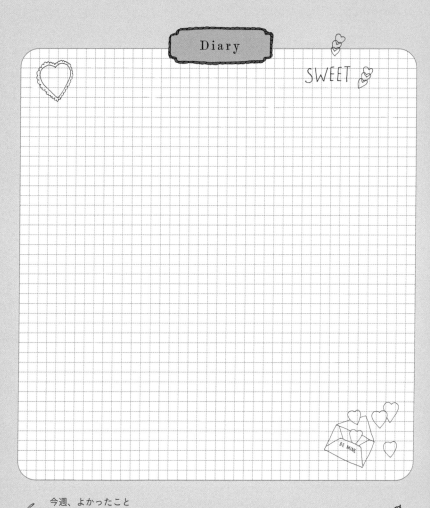

## Diary

SWEET

今週、よかったこと

* 
* 
*

**12**

*TO DO LIST*

* 
* 
* 

| 9 (月) | AM |
| | PM |

| 10 (火) | AM |
| | PM |

| 11 (水) | AM |
| | PM |

| 12 (木) | AM |
| | PM |

| 13 (金) | AM |
| | PM |

| 14 (土) | AM |
| | PM |

| 15 (日) | AM |
| | PM |

Diary

XOXO

LOVE

今週、よかったこと

* 
* 
*

*12*

**16**
（月）

AM

PM

**17**
（火）

AM

PM

**18**
（水）

AM

PM

**19**
（木）

AM

PM

**20**
（金）

AM

PM

**21**
（土）

AM

PM

**22**
（日）

AM

PM

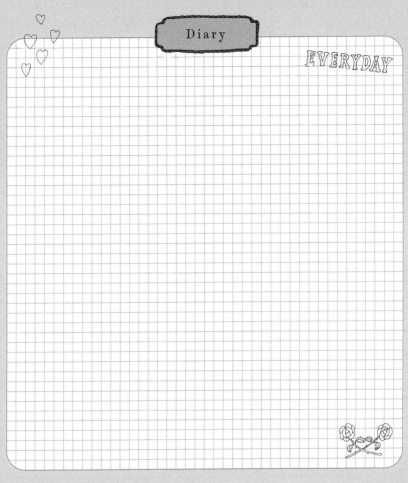

# Diary

EVERYDAY

今週、よかったこと

* 
* 
* 

---

誰かを幸せにすることで、自分も幸せになっていく。
そういう方法を選んでいきたい。

Lesson

## 12

TO DO LIST

* 
* 
* 

---

**23**
(月)

AM

PM

---

**24**
(火)

AM

PM

---

**25**
(水)

AM

PM

---

**26**
(木)

AM

PM

---

**27**
(金)

AM

PM

---

**28**
(土)

AM

PM

---

**29**
(日)

AM

PM

---

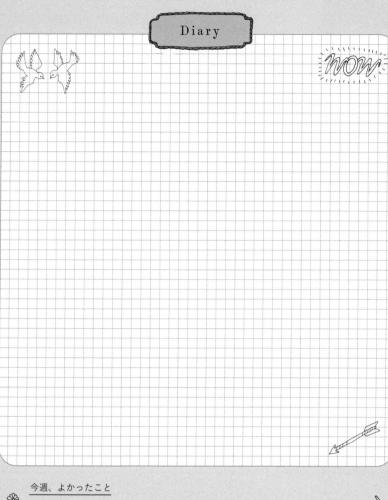

# Diary

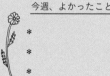

今週、よかったこと

* 
* 
* 

*This Week's Message*

願いごとは、どんどん口に出すこと。

12

*TO DO LIST*

* 
* 
* 

| **30** (月) | AM |
| | PM |

| **31** (火) | AM |
| | PM |

| 1/**1** (水) 元日 | AM |
| | PM |

| 1/**2** (木) | AM |
| | PM |

| 1/**3** (金) | AM |
| | PM |

| 1/**4** (土) | AM |
| | PM |

| 1/**5** (日) | AM |
| | PM |

# Diary

今週、よかったこと

*
*
*

*This Week's Message*

美しさは力。弱いなら美しさを磨こう。
自分にしかない美しさを磨くことで、強くなれる。

# いい女.
# Relax
# and
# Beauty

\* \* \*

あなたを心身ともにより美しくする
スキンケアやバスグッズ、ハーブティーをご紹介。

いい女の暮らしには欠かせない、
頂きもの・贈りものリストもご用意しました。
ぜひ活用してみてください。

# 1

# Skin Care

## スキンケア

日々のスキンケアタイムは、自分のお肌と対話できる時間。
お肌の状態を確かめながら、じっくりケアすることを大切にしましょう。

### ♡ ローズをまとって

お風呂上がりにローズウォーターのミストを顔から全身にかけて、うるおいを纏います。お風呂から出たらすぐにスキンケアをすると乾燥が防げるといいますが、夏場など汗をかいていると難しいですよね。私はミストをさっとつけておいて、汗が引くのをゆっくり待ちながら髪をタオルドライしています。

### ♡ パックしたようなもち肌へ

汗がひいたら、化粧水を肌に入れ込んでいきましょう。私の場合、パックは時々しかしない代わりに、毎日たくさん化粧水をつけるようにしています。1度のスキンケアで何種類もつけるので、お気に入りの化粧水をいくつかストック。さっぱり系のものから始めて、だんだんとしっとり系のものを入れ込んでいくのがおすすめです。パックしたときのようなもちもち感が生まれます。

### ♡ 美容液は1つのものを

化粧水でしっかり保湿できていると、そのあとに塗る美容液の浸透もばつぐんに。美容液の場合は何種類も使うと自分に合うものが見つけにくいので、1つのものを継続して使ってみましょう。そうすると、自分のお肌の状態がよりわかりやすくなります。

### ♡ クリームでしっかり保湿

最後にクリームでお肌にフタをします。お顔の部位によって肌質も変わるので、私はクリームを使い分けています。こっくりとした濃厚なクリームを使用した翌朝は、しっかりと洗顔するようにしましょう。

# 2

# Special Bath Goods
### ご褒美バスグッズ

忙しい日々のご褒美に、お風呂時間を楽しみましょう。
照明を落としてキャンドルを焚き、好きな音楽をかけながら、
湯船にゆっくりつかります。丸まった背筋をよく伸ばしたり、
疲れた脚を揉みほぐしたり、スカルプブラシで頭皮マッサージをしたり。
フェイスタオルをお湯で濡らして絞り、目に乗せて温めるのもいいですね。
ここでは、おすすめの入浴剤をご紹介します。
プチトリップ気分で、贅沢なひとときを過ごしてみてください。

♡ ぐっすり眠りたい、
リラックスしたい気分のときに

♡ よく頑張った日に

クナイプ
グーテナハト バスソルト
ホップ&バレリアンの香り

アユーラ
メディテーションバスt

♡ 日々の癒やしには
薬湯シリーズを

♡ 心も身体もしっとり
ヤギのミルクの入浴剤

オリヂナル
薬湯シルク

レイヴィー
クリームバスゴートミルク

# 3

# Herb Tea
ハーブティー

見た目も名前もかわいいハーブティー。ノンカフェインなので、
おやすみ前のリラックスタイムのおともに最適です。
お気に入りのティーセットに注げば、さらに効果アップ。

♡**ローズヒップ**：美肌やダイエット

♡**ハイビスカス**：肌荒れ、便秘の改善

♡**ジンジャー**：冷え性の改善

♡**エルダーフラワー**：風邪の治癒、解熱

♡**カモミール**：身体の疲れを癒やす、気分を落ち着ける

♡**ラズベリー**：イライラの解消、安産

♡**ルイボスティー**：体質改善効果、ダイエット

♡**ペパーミント**：口臭予防、集中力を上げたいときに

♡**ラベンダー**：リラックス効果、気分を落ち着ける

♡**レモングラス**：リフレッシュ、胃腸の調子を整える

# 4

# Gift List

頂きもの・贈りものリスト

♡ 頂きもの

| DATE | NAME | ITEMS | MEMO |
|------|------|-------|------|
|  |  |  |  |
|  |  |  |  |
|  |  |  |  |
|  |  |  |  |
|  |  |  |  |
|  |  |  |  |
|  |  |  |  |
|  |  |  |  |
|  |  |  |  |
|  |  |  |  |
|  |  |  |  |
|  |  |  |  |
|  |  |  |  |
|  |  |  |  |
|  |  |  |  |
|  |  |  |  |
|  |  |  |  |
|  |  |  |  |
|  |  |  |  |
|  |  |  |  |

大切な人から頂いたギフトや、自分が渡した贈りものを
書き留めておきましょう。お礼を伝えるときやお返しするとき、
次の贈りものを考えるときなどに役立ちます。

♡ 贈りもの

| DATE | NAME | ITEMS | MEMO |
|------|------|-------|------|
|      |      |       |      |
|      |      |       |      |
|      |      |       |      |
|      |      |       |      |
|      |      |       |      |
|      |      |       |      |
|      |      |       |      |
|      |      |       |      |
|      |      |       |      |
|      |      |       |      |
|      |      |       |      |
|      |      |       |      |
|      |      |       |      |
|      |      |       |      |
|      |      |       |      |
|      |      |       |      |
|      |      |       |      |
|      |      |       |      |
|      |      |       |      |
|      |      |       |      |

# いい女.
# Recipe

\* \* \*

いい女は、料理上手。
おうち女子会をするときにぴったりの、
美味しくて見栄えのよいレシピをご紹介します。
お友達を自宅に招いて、お料理を囲みながら、
素敵なひとときを過ごしてください。

カレーグラタン

魚介のパエリア

セロリのピクルス

いちごとチーズの生ハムサラダ

今回は、とある日のおうち女子会で大好評だったメニューです。
「セロリのピクルス」「いちごとチーズの生ハムサラダ」
「カレーグラタン」「魚介のパエリア」の4品で、
おいしくておしゃれな食卓に！

つくるときのポイントもあわせて、レシピをご紹介します。
ぜひつくってみてください。

## セロリのピクルス

### ◎ 材料

- セロリ … 適量
- 酢 … 2カップ
- 白ワイン … 1カップ
- 水 … 3/4カップ
- 砂糖 … 80g
- 塩 … 小さじ2
- 唐辛子 … 適量

POINT
＊冷やす時間が必要なので、一番
初めにつくりましょう。

### ◎ つくり方

① 酢、白ワイン、水、砂糖、塩を鍋に
入れて軽く混ぜながら、火にかける。
全体が混ざったら火を止めて冷ます。
② セロリをお好みの大きさにカットし
て、さっと茹でて粗熱をとる。
③ 瓶にタネをとった唐辛子と②のセロ
リを入れ、①のピクルス液を注ぎ、冷
蔵庫で冷やしておく。

## カレーグラタン

### ◎ 材料

- 冷凍保存しておいた
  カレー … お好みの量
- とろけるチーズ … 適量

POINT
＊カレーは多めにつくって保存し
ておくと、いざというときに使え
て便利です。

### ◎ つくり方

① 解凍したカレーを耐熱容器に入れる。
② ①の上にとろけるチーズをかけ、オ
ーブントースターで焼く。チーズがと
ろけたら完成。

## 魚介のパエリア

### ◎ 材料

・玉ねぎ・にんじん・セロリ・
　パプリカ … お好みの量
・頭つきえび・たこ・いか・
　たら・貝類（あさり）… お好みの量
・にんにく … 1かけ
・トマト缶 … 100g
・水 … 500mℓ
・お米 … 1合
・オリーブオイル … 適量
・白ワイン … 大さじ1
・塩 … 少々
・サフラン … ひとつまみ
・パプリカパウダー … 小さじ1
・カットレモン … 適量

POINT
＊頭つきのえびは、出汁がたくさん出
るのでおすすめです。
＊缶詰ではなく、生きた貝を使うと旨
味がアップします。
＊トマト料理にパプリカパウダーを入
れるとコクが出ます。
＊パエリアをつくるときは、洗米しな
いこと。お米がスープをよく吸い、ち
ょうどいいパラパラ加減に仕上がりま
す。

### ◎ つくり方

① 野菜とたこ、いか、たらをカット。
パプリカ以外の野菜は小さく、魚介類
は大きめにカットすると見栄えが◎。
② 大きめのフライパンににんにくとオ
リーブオイルを入れ、加熱する。香り
が出てきたら頭つきえびを入れる。え
びの色が変わってきたら、頭を少し潰
して中のみそを出す。
③ 玉ねぎ、にんじん、セロリと貝類以
外の魚介類を②に追加して、白ワイン
を加える。
④ 全体に火が通ったら、トマト缶を入
れて、お塩少々で味付け。
⑤ 再度沸いたら、お水と貝類（あさり）
を入れる。貝の口が開くまでフタをし
て加熱する。
⑥ ⑤にサフランとパプリカパウダー
を入れる。
⑦ ⑥のフライパンの魚介類だけ別のボ
ウルに取り出す。そこに洗っていない
お米を加えてフタをし、5分炊く。
⑧ 魚介類を戻し入れ、えびとカットし
たパプリカを綺麗に並べて再度フタを
し、15分ほど火を入れる。水分が多く
残っている場合は、少なくなるまで加
熱を。
⑨ ⑧にカットレモンを添えて完成。フ
ライパンのまま食卓へ。

## いちごとチーズの生ハムサラダ

◎ **材料**
- いちご・生ハム・ブラータ
  チーズ・エキストラバージン
  オリーブオイル … お好みの量
- イタリアンパセリ（あれば）
  … お好みの量

POINT
＊今回のレシピではいちごを使っていますが、季節のフルーツでもおいしくつくれます。

◎ **つくり方**
① いちごと生ハムを食べやすい大きさにカット。
② チーズはちぎって、①と一緒にお皿に盛る。エキストラバージンオリーブオイルをまわしかけて完成。イタリアンパセリを散らすと彩りが綺麗。

# いい女.
# Book

\* \* \*

いい女は、読書家。
ぜひ、本屋さんに行く予定を立ててみてください。
素敵な本と出会えるかもしれませんよ。

今回は、旅やお出かけに行きたくなるような本と、
心が癒やされる本を中心に集めました。

### ミセス・ハリス、
### パリへ行く（角川文庫）

ポール・ギャリコ（著）／亀山 龍樹（訳）
／KADOKAWA

もうすぐ60歳、夫を亡くし家政婦を
していた主人公が、クリスチャン・ディ
オールのドレスに恋をして人生が変
わっていく、シンデレラストーリー。

### ミセス・ハリス、
### ニューヨークへ行く（角川文庫）

ポール・ギャリコ（著）／亀山 龍樹（訳）
／KADOKAWA

『ミセス・ハリス、パリへ行く』の続編。
いくつになっても夢を諦めない主人公
の姿に、勇気や希望をもらえる楽しい
1冊。

### 台湾漫遊鉄道のふたり

楊 双子（著）／三浦 裕子（訳）
／中央公論新社

台湾の歴史小説家によるグルメ×旅
小説。表紙がとても可愛くて手に取り
ました。異国の文化や歴史にも触れら
れて、小説好きにぜひおすすめしたい
本。

### フランス人がときめいた
### 日本の美術館

ソフィー・リチャード（著）
／山本 やよい（訳）／集英社インターナショナル

行ってみたい美術館がきっと見つかる
1冊。すでに美術館が好きな人も、そ
の魅力を再発見できるはず。

## マンガでわかる日本料理の常識

### 日本の食文化の原点と
### なぜ？がひと目でわかる

長島 博（監修）／大崎 メグミ（イラスト）
／誠文堂新光社

日本の食の素晴らしさをあらためて知
ることのできる1冊。カラーでわか
りやすいのに内容が濃い！　写真も多
くて飽きずに学べます。

## 瞳のなかの幸福（文春文庫）

小手鞠 るい（著）／文藝春秋

恋人から婚約破棄された過去を持つ
35歳の女性が、辛い思いを振り切る
ように仕事を頑張りながら、幸せを見
つけていく小説。心温まる本を探して
いる人に。

## 星をつるよる

キム・サングン（著）／すんみ（訳）
／パイ インターナショナル

2020年の国際推薦児童図書目録『ホ
ワイト・レイブンズ』に選定された、
とても可愛い絵本。お家にあると癒や
されますし、プレゼントにも◎

## 今、目の前のことに
## 心を込めなさい（だいわ文庫）

鈴木 秀子（著）／大和書房

お守りに持っておきたい1冊。シス
ターの優しい言葉が詰まっています。
可愛いお花のカバーも素敵です。

### きれいなシワの作り方
淑女の思春期病（文春文庫）

村田 沙耶香（著）／文藝春秋

アラサー女子におすすめのエッセイ。
クスッとしながら軽く読める、女子会
に参加している気分になれる1冊。

### パリの空の下で、
息子とぼくの 3000 日

辻仁成（著）／マガジンハウス

辻仁成さんがシングルファザーになっ
て以降、小学生の息子が大学生になる
までの軌跡。思春期の息子と父の愛。
きっと感じるものがあるはずです。

### 美しければすべて良し
一生モノの気品を身につける
186 のヒント

加藤ゑみ子（著）
／ディスカヴァー・トゥエンティワン

この著者さんの本が大好きで、いつも
新刊を見つけてはチェックしていま
す。こちらの最新刊では、日本人の美、
空間の美などについて多く触れられて
います。

### いい女.book
磨けば磨くほど、女は輝く

いい女.bot（著）
／ディスカヴァー・トゥエンティワン

いつも自分の本は紹介していないの
で、今回は取り上げてみました！　紙
の本ならではの工夫をちりばめ、読み
ながらも幸せを感じられるようにつく
っています。

# My Reading Log

読書記録

読んだ本のタイトルや感想を、書き留めておきましょう。
学んだこと、感じたことがより一層、心に刻み込まれるはずです。

| DATE | TITLE | MEMO |
|---|---|---|
| | | |
| | | |
| | | |
| | | |
| | | |
| | | |
| | | |
| | | |
| | | |
| | | |
| | | |

| DATE | TITLE | MEMO |
|------|-------|------|
|      |       |      |
|      |       |      |
|      |       |      |
|      |       |      |
|      |       |      |
|      |       |      |
|      |       |      |
|      |       |      |
|      |       |      |
|      |       |      |
|      |       |      |
|      |       |      |
|      |       |      |
|      |       |      |

**Discover**

手帳の使い心地はいかがですか？

「ディスカヴァーの手帳」のご利用、誠にあり
がとうございます。今後の参考のため、
ぜひともご感想・ご要望をお聞かせください。

https://d21.co.jp/news/event/diary-voice2024/

# いい女.diary 2024

発行日　2023年9月22日　第1刷

| | |
|---|---|
| Author | いい女.bot |
| Illustrator | moko. |
| Book Designer | Monet Terumoto |
| Publication | 株式会社ディスカヴァー・トゥエンティワン |
| | 〒102-0093 東京都千代田区平河町2-16-1 平河町森タワー11F |
| | TEL 03-3237-8321（代表） |
| | FAX 03-3237-8323 |
| | https://d21.co.jp |
| Publisher | 谷口奈緒美 |
| Editor | 大竹朝子＋橋本莉奈 |
| Proofreader & DTP | 株式会社T&K |
| Proofreader | 株式会社文字工房燦光 |
| Printing | 日経印刷株式会社 |

ISBN978-4-7993-2967-2
IIONNA DIARY 2024 by Iionnabot.
©ionnnabot, 2023, Printed in Japan.